# A L'OMBRE D'ESTHER

Déjà parus

*dans la collection « Turquoise »*
*« Princesse Turquoise »*
et *« Turquoise Médaillon »*

1. LA NUIT EST A NOUS. Nelly
2. JUSQU'AU BOUT DE L'AMOUR. C. Pasquier
3. LA FIANCÉE DU DÉSERT. E. Saint-Benoît
4. COUP DE FOUDRE AUX CARAÏBES. B. Watson
5. TEMPETE SUR LES CŒURS. I. Wolf
6. MIRAGE A SAN FRANCISCO. A. Latour
7. ET L'AMOUR, BÉATRICE? A. Christian
8. ORAGES EN SICILE. K. Neyrac
9. REVE D'AMOUR A VENISE. M.-H. Evrard
10. L'INCONNU AU CŒUR FIER. R. Olivier
11. AU-DELA DE LA TOURMENTE. Y. Wanders
12. L'HERITIER DE GUERINVILLE. C. Pasquier
13. UN VOLCAN POUR ELISE. Eve Saint-Benoît
14. LE REGARD DE L'AMOUR. F. Harmel
15. LE CŒUR ECARTELE. B. Watson
16. SOUVENIR D'UNE NUIT INDIENNE. J. Fontange
17. LES PIEGES DE L'AMOUR. I. Wolf
18. LES LUMIERES DE BEVERLY HILLS. J. Nivelies
19. COMME UN ROSEAU. C. Beauregard
20. UN AMOUR SAUVAGE. R. Olivier
21. TU ES MON SEUL AMOUR. Nelly
22. LE RENDEZ-VOUS DU BONHEUR. B. Watson
23. ALBANE AUX ILES. E. Deher
24. LE TOURBILLON DES PASSIONS. C. Pasquier
25. CYCLONE A TAHITI. C. Valérie
26. LA COURSE EPERDUE. J. Fontange
27. LA MADONE AUX VIOLETTES. Eve Saint-Benoît
28. UNE VALSE DANS LA NUIT. Cécile Beauregard

29. PASSION MAYA. Agnès Pergame
30. LE SERMENT DE MINUIT. Karen Neyrac
31. L'INCONNU DE L'ILE BOURBON. Olivia Deschamps
32. LE CŒUR VAGABOND. B. Watson
33. FLORA. Paule Vincent
34. LE BAL DE L'EMPEREUR. Nelly
35. PARC AUX CERFS. J. Nivelles
36. L'INACCESSIBLE AMOUR. Cécile Beauregard
37. SECRETS RAVAGES. Régine Olivier
38. SOUS LES MOUSQUETS DU ROY. Evelyne Deher
39. LES AMANTS DE SAINT-DOMINGUE. E. Geoffroy
40. BATTEMENTS DE CŒUR A BEATTONSFIELD. N. Saint-Leu
41. LES SORTILEGES DE L'AMOUR. O. Granville
42. LA NUIT DES INSURGES. M. Bergerac
43. BELLE-AURORE. Georgina Hardy
44. LE SCEAU DE LA PASSION. Nelly
45. A L'OMBRE D'ESTHER. C. Valérie
46. L'AMOUR SECRET DE NAPOLEON. E. Saint-Benoît
47. LE CHEVALIER DE PONTBRIAND. D. Saint-Michel
48. L'INCROYABLE VERITE. Caroline Pasquier
49. MARIAGE BLANC. Cécile Beauregard

CLAUDE VALÉRIE

# A L'OMBRE D'ESTHER

PRESSES DE LA CITÉ

9797 rue Tolhurst, Montréal H3L 2Z7 - Tél.: 387-7316

ISBN 2.258.00682.1


ISBN: 2-89116-033-9

A Georges BROCKS

# *PREMIÈRE PARTIE*

# L'ILE DE TASMANIE

# CHAPITRE PREMIER

— Miss Cordelier, comment ça va?

La phrase fut prononcée dans un français écorché, teinté d'accent anglais.

Eliane se retourna. Un homme blond aux yeux clairs lui tendait la main en lui souriant. Elle donna la sienne, après avoir posé sa valise sur le sol.

— John Middleton votre serviteur, poursuivit-il en anglais, en la fixant intensément.

S'armant de courage, elle répondit dans la même langue.

— Enchantée, monsieur Middleton.

Eliane était émerveillée. L'homme qui s'adressait à elle ressemblait à un dieu du stade. Grand, mince, le muscle long, svelte. Une beauté masculine exceptionnelle. Il la dépassait de trois têtes. Son cœur se mit à battre à une cadence effrénée. Elle rougit d'émotion. John Middleton la contempla le visage illuminé. Il saisit sa valise et dit d'une voix légèrement enrouée :

— Suivez-moi, miss Cordelier!

Elle lui emboîta le pas. Cette rencontre dépassait ses espérances. Cet homme représentait à ses yeux le prince charmant, le rêve de son enfance. Elle s'efforça de chasser une idée aussi folle. « C'est lui le père des deux petites filles », se morigéna-t-elle.

Eliane se souvint comment elle était entrée en correspondance avec John Middleton. C'était, surtout, à cause de son désir de quitter la France. Elle voulait voyager, connaître les pays lointains. Le hasard lui avait fait lire une petite annonce du journal *le Monde*. Un éleveur australien cherchait un professeur de français pour ses filles. Elle avait écrit aussitôt et la réponse n'avait pas tardé : son correspondant lui avait envoyé un contrat d'un an, une avance sur honoraires et un billet d'avion.

Malgré la tristesse de ses parents pour qui elle était tout au monde, étant leur seule enfant, son goût du voyage avait été le plus fort.

« J'ai vingt-trois ans, s'était-elle dit, je dois vivre ma vie comme je l'entends. » Elle connaissait l'Australie à travers les manuels, pas davantage. Quelle aubaine de pouvoir y aller! Sa mère avait tenu à la rassurer. Elle lui avait dit :

— Si tu ne t'y plais pas, reviens vite à Cannes. Ta chambre sera toujours prête à t'accueillir.

Son père, photographe, avait pignon sur rue. Le jour de son départ, il lui avait offert un superbe Nikon et un lot de films.

— J'espère que tu nous enverras de belles photos de ce pays lointain, avait-il ajouté d'une voix altérée.

Maintenant elle marchait derrière son patron. Une foule immense, bigarrée, remuante, envahissait l'aéroport.

Ils se frayèrent un chemin jusqu'à la sortie. John Middleton se dirigea vers une somptueuse Bentley blanche et ouvrit la portière droite. Il jeta la valise sur le siège arrière. Ce geste la fit sourire. Dans les mains de cet homme son bagage ressemblait à un fétu de paille. Il prit place au volant et déverrouilla l'autre porte. Eliane s'installa à son tour.

En essayant d'adopter un ton neutre, il déclara :

— Vous voyez, la conduite est à gauche ici. Comme en Angleterre.

Il démarra pour cacher le trouble qui s'était emparé de lui.

— Pourquoi tous ces drapeaux aux fenêtres? demanda Eliane.

Il sourit.

— Je pourrais vous dire que c'est en l'honneur de votre arrivée. Mais, en fait, aujourd'hui nous sommes le vingt-cinq avril, anniversaire de l'*Australia day,* la fête nationale australienne. C'est la raison pour laquelle cette foule que vous voyez s'est déversée dans les rues.

— Je m'aperçois que Sydney est une ville assez vivante.

— Nous allons d'abord déposer votre valise à l'hôtel. Ensuite je vous la ferai visiter.

Eliane était ravie. « C'est merveilleux! se dit-elle, j'arrive un jour de fête, c'est bon signe. »

John l'observa du coin de l'œil et dit comme s'il devinait ses pensées :

— Quand j'ai reçu votre télégramme, je ne pensais pas que vous viendriez aujourd'hui.

— J'en suis enchantée. Je ne m'attendais pas à cela!

Eliane ne voyait rien, elle n'entendait que ses paroles. Elle ne put apercevoir les autobus à impériale, les taxis rouges ou noirs avec leurs toits en damier, les hommes portant des chapeaux à larges bords. La circulation était très dense. Le ciel, d'un bleu limpide, avait une luminosité particulière. Le soleil brillait, sans pour autant accabler de sa chaleur.

John Middleton engagea la Bentley dans Macquarie Street et ensuite tourna à gauche.

— Voici Martin Place! annonça-t-il tout à coup en stoppant le véhicule.

Il descendit en prenant la valise d'Eliane. Elle le suivit.

— Cet hôtel a la réputation d'être confortable. Je

pense que vous y serez bien, dit-il en désignant un immeuble de style victorien.

Ils se dirigèrent vers la réception. Une femme les accueillit d'un air affable.

— Vous désirez? demanda-t-elle.

— J'ai fait réserver une chambre au nom de mademoiselle Cordelier, annonça John.

Chaussant des lunettes d'écaille, la réceptionniste consulta son registre.

— C'est exact, monsieur.

Puis s'adressant à Eliane :

— Veuillez me suivre, mademoiselle, je vais vous la montrer.

Elle se leva et choisit une clé au tableau. John porta le bagage de la jeune fille devant l'ascenseur.

— Je vous laisse, miss Cordelier. Je reviendrai vous chercher dans une heure.

Il sortit de l'établissement pendant que les deux femmes s'engouffraient dans l'ascenseur.

Quelques minutes plus tard Eliane se trouvait dans sa chambre. Elle s'affala sur le lit; sa tension nerveuse se relâcha. Elle fit un premier point de la situation.

Le pays lui plaisait. Le plus important, ce qui l'avait tracassée depuis son départ de France, c'était la sympathie réciproque qui s'était instaurée entre son patron et elle-même. Elle avait été attirée par lui dès la minute où il était apparu. Ce regard sain et loyal la rassurait. De son côté John Middleton n'avait pas dû être insensible à sa beauté. A Cannes et ailleurs les hommes se retournaient souvent sur son passage. Elle en était flattée. Avec ses yeux noirs pétillants, sa chevelure brune qui dépassait ses épaules, son corps harmonieux, elle ne pouvait qu'avoir du succès. « On dirait que ce coup de foudre est partagé! » pensa-t-elle.

Eliane se remit sur ses pieds, se déshabilla et entra dans le cabinet de toilette. L'eau de la douche l'apaisa. Elle frissonna de plaisir. Elle revint dans la chambre et ouvrit sa valise. Indécise sur le choix des vêtements qu'elle allait mettre, elle sortit plusieurs jupes et robes et les contempla. « Je vais mettre ma jupe blanche plissée et mon corsage à fleurs », décida-t-elle finalement. Le miroir lui renvoya une image flatteuse. Dans ses nouveaux atours, elle se sentit plus à l'aise. Elle coiffa ses longs cheveux bruns, avant de se maquiller légèrement.

Au moment où elle avait terminé, le téléphone grésilla. Elle décrocha.

— Monsieur Middleton vous attend, mademoiselle, fit la voix impersonnelle de la réceptionniste.

Eliane quitta immédiatement sa chambre, reprit l'ascenseur et se retrouva dans le hall.

— Je m'excuse pour tantôt, dit John en la voyant venir vers lui, j'ai complètement oublié de vous demander si vous aviez faim.

— Vous êtes gentil d'y avoir songé, mais j'ai déjeuné dans l'avion.

— Je ne voudrais pas que notre professeur manque de forces!

Ils sortirent. Le temps était superbe, l'air doux et la température agréable.

— Nous sommes obligés d'aller à pied car le moment du défilé approche, indiqua l'éleveur.

La circulation s'étant interrompue, un groupe d'hommes en short bleu pâle et en maillot de la même couleur déboucha dans Martin Place.

— Mais ce ne sont pas des militaires! s'exclama-t-elle.

— Non, ce sont des sportifs. Ici nous avons de nombreuses associations sportives. Les Australiens pratiquent énormément d'activités physiques.

— Vous aussi?

— Oui, le tennis.

Eliane sauta de joie. C'était justement son sport favori.

— Moi aussi en France je joue au tennis. Je participe souvent à des tournois d'amateurs.

Il la regarda en souriant.

— Dès que nous le pourrons, nous ferons une partie.

Il s'interrompit et la détailla.

— Votre ensemble vous va à ravir.

Eliane devint écarlate. Son cœur bondit dans sa poitrine. Remarquant son émoi, John Middleton changea de sujet.

— Je vais vous montrer notre pont. Il est le symbole de Sydney. Les Australiens en sont fiers. Pour nous, il est un peu comme la tour Eiffel pour les Français. Lors de mon voyage en France, je suis passé par Paris et je l'ai visitée.

— Ah! Vous connaissez l'Europe!

Il expliqua :

— J'y suis resté un mois et j'en garde un magnifique souvenir. Ce qui pourrait vous faire comprendre pourquoi je vous ai demandé de venir enseigner le français à mes filles. J'aime beaucoup la France.

— J'en suis très touchée, monsieur Middleton. Je puis vous assurer que je ferai de mon mieux pour la représenter.

Un peu plus tard, ils arrivèrent en vue du pont. Il était construit en acier et affectait la forme d'un arc. Les défilés de la journée ayant pris fin, la circulation reprenait son cours normal.

— N'est-ce pas admirable? demanda John Middleton d'un air joyeux.

— Il y a beaucoup de voitures qui le traversent, mais je ne vois pas de piétons, constata-t-elle.

— On peut quand même le passer à pied, je peux vous l'assurer. Mais je dois reconnaître qu'à Sydney les gens circulent surtout en voiture.

— C'est une réalisation remarquable! s'exclama la jeune fille.

Il donna quelques explications :

— Ce pont constitue la grande artère qui relie la city, c'est-à-dire le centre commercial, à l'immensité des quartiers résidentiels.

— A part ce pont, que peut-on encore admirer?

— Nous avons le parc zoologique, le jardin botanique, des monuments comme l'Opéra par exemple, sans oublier les sites incomparables du bord de mer.

Le jour déclinait sensiblement. Le bleu du ciel se transformait en un rose violacé. Le soleil descendait lentement vers le Pacifique. John Middleton et Eliane revinrent sur leurs pas.

— Je peux vous inviter à dîner si vous le désirez? proposa-t-il subitement d'un air poli.

Eliane aurait voulu accepter, mais une immense lassitude l'envahissait. Le long voyage, le changement de climat, les émotions de la journée l'avaient fatiguée. Elle déclina l'offre.

— Vous pensez à tout. Votre amabilité me touche. Je vous remercie, mais ce soir je préfère dormir tôt.

Il la couva de son regard et, compréhensif, répondit :

— Il est vrai que demain un nouveau voyage en avion vous attend!

Elle tomba des nues.

— Ah? Je ne savais pas!

— Vous savez, en Australie, nous utilisons sans cesse l'avion pour les déplacements intérieurs.

— Et où m'emmènerez-vous? demanda-t-elle, intriguée.

— En Tasmanie. C'est le lieu de ma résidence.

— Vous ne me l'aviez pas indiqué dans votre lettre, fit-elle, surprise.

— L'île est magnifique. Elle vous enchantera.

« Pourquoi pas la Tasmanie? songea-t-elle. Une fois qu'on est sous le tropique du Capricorne. »

— Eh bien, vive la Tasmanie monsieur Middleton!

Il lui jeta un regard reconnaissant.

— Pendant un instant j'ai craint que vous ne refusiez d'y venir. Cela m'aurait affecté. D'autant plus que maintenant nous nous connaissons.

— Vous avez absolument raison. Je ne vais pas faire machine arrière.

John Middleton ajouta :

— C'eût été dommage de rompre le charme qui s'est établi entre nous n'est-ce pas?

Ils échangèrent un sourire complice au milieu de la foule du soir qui déambulait. Ils eurent de la peine à se frayer un chemin. Enfin ils parvinrent devant l'hôtel.

— Je passerai vous prendre demain matin à neuf heures. Cela vous convient-il?

— Parfaitement. Après une nuit de sommeil, je serai apte à affronter ce nouveau voyage.

— Ne vous inquiétez pas, il sera aussi reposant que le premier, dit-il rassurant.

Eliane fut de nouveau subjuguée par son sourire charmeur. Cet homme exerçait sur elle une incontestable attraction.

Ils se serrèrent la main comme dans un rêve. En sentant la chaleur de sa paume, un fluide électrique parcourut la jeune fille.

John Middleton regagna sa voiture. Elle resta sur le perron et le regarda s'éloigner, comme à regret, sa haute silhouette se découpant dans le halo des réverbères. Elle émit un profond soupir et rentra. Cette première journée en Australie lui avait été favorable. John Middleton était un homme charmant. Elle était heureuse, sans pour autant pouvoir analyser ce sentiment. Le seul désir qu'elle éprouvait pour l'instant, était d'aller dormir le plus vite possible.

— Allô la tour de contrôle? Ici John Middleton, je demande l'autorisation de décoller!

Il parlait dans le micro de sa radio de bord. Assise

à ses côtés, Eliane ne se sentait guère rassurée. Il n'y avait rien à faire, ce petit avion lui faisait aussi peur que les autres.

La tour de contrôle répondit favorablement.

— Vous pouvez y aller, la voie est libre!

John établit son point fixe et lança son *Tander* sur la piste. Il mit pleins gaz. Le paysage défila à toute allure. Soudain le sol s'éloigna. L'avion s'éleva dans les airs et, peu à peu, prit de la hauteur.

— Cela vous change du Boeing, n'est-ce pas? cria le pilote à sa passagère.

Elle opina de la tête, tout en pensant que ce moyen de transport l'effraierait toujours. « Il faut vivre avec son siècle », se dit-elle.

— Je me sens plus en sécurité avec vous. Votre avion est au moins à l'échelle humaine.

En fait, Eliane ne pensait pas un traître mot de ce qu'elle venait de dire.

Il sourit, flatté, et dit en plaisantant :

— Vous avez de la chance, j'ai mon permis!

— Vous l'avez depuis longtemps?

— J'étais pilote dans la chasse australienne. Tous les ans, je fais des vols d'entraînement.

— Combien de temps mettrons-nous pour atteindre la Tasmanie?

Elle avait hâte d'arriver. Le bruit du moteur lui était insupportable. Perdu dans ses pensées, John ne répondit pas.

Quelques heures plus tard, ils survolaient la mer de Tasman. Le pilote changea de cap et prit la direction d'Hobart, la ville principale de l'île. Il se tourna vers Eliane et dit gentiment :

— Vous verrez, Eliane...

Il s'interrompit et continua en la fixant :

— Vous permettez que je vous appelle par votre prénom? C'est une habitude chez nous.

— Je veux bien, si cela vous fait plaisir.

Elle venait de répondre en inspirant fortement. Les trous d'air agitaient l'appareil et les spasmes d'une nausée commençaient à l'envahir.

Il reprit :

— Vous aussi, vous devriez m'appeler John. Comme ça nous serons sur un pied d'égalité.

— D'accord John, souffla-t-elle dans un sursaut de courage en réprimant l'envie de vomir qui lui soulevait le cœur.

— Vous constaterez en arrivant que notre île ressemble un peu à votre Normandie. En plus de l'élevage du bétail, nous récoltons des pommes d'une grande qualité.

Eliane répondit d'une voix mal assurée.

— Je suis du sud de la France et je connais mal la Normandie.

— C'est dommage, cette contrée est magnifique. Quand j'étais dans votre pays, je suis passé à Deauville, à Honfleur et dans d'autres endroits de cette région.

Il se pencha et regarda à l'extérieur.

— Regardez en bas, il y a une immense forêt d'eucalyptus.

Elle jeta rapidement un coup d'œil vers le sol et vit une nappe de verdure qui s'étendait jusqu'à l'horizon.

— En effet c'est verdoyant par ici.

Il expliqua encore :

— A droite c'est Hobart. Mon cottage se trouve à quelques yards de là.

La jeune fille faisait des efforts surhumains pour garder la face. La sueur perlait sur son front. Elle était totalement prise par le mal de l'air. Par contre, John semblait tout à fait à l'aise. Il fit une manœuvre qui permit à l'avion de virer sur l'aile. D'instinct, elle ferma les yeux. La force centrifuge la plaqua sur son siège. L'avion perdit de l'altitude. Soudain une piste d'atterrissage apparut. En bordure, un groupe de bâtiments entouré d'acacias et de pommiers faisait une tache verte sur le sol.

— Nous voici à bon port! déclara-t-il.

L'appareil se posa sans aucune difficulté. Quand les roues touchèrent le sol, Eliane poussa un soupir de soulagement.

— Vous voyez Eliane, tout s'est passé à merveille.

Elle fit bonne figure.

— Je suis contente de me retrouver sur la terre ferme, murmura-t-elle.

John coupa le moteur et l'avion s'immobilisa. Il aida sa passagère à ouvrir sa ceinture de sécurité et à descendre de l'engin. Au même instant, une Ford décapotable arriva en trombe et s'arrêta près d'eux. Un jeune rouquin de vingt ans sauta à terre et s'exclama :

— Bonjour, John. Vous avez fait bon voyage?

— Excellent, Bob. Je te présente mademoiselle Cordelier, notre professeur de français.

— Enchanté, Mademoiselle, dit timidement le jeune garçon.

— Moi de même, répondit-elle en lui souriant.

— Prends la valise dans le zinc! ordonna John au chauffeur. Ce dernier s'exécuta.

John ouvrit la portière arrière de la Ford. Eliane s'installa. L'air frais atténua sa nausée. Bob mit les bagages dans le coffre et vint ensuite s'asseoir au volant. Il démarra sans dire un mot.

Eliane admirait les centaines de pommiers qui longeaient la petite route en terre battue. La voiture soulevait un nuage de poussière. La terre était sèche, déshydratée par le soleil.

En quelques minutes, ils arrivèrent devant un portail en fer forgé dont la grille entrouverte laissait voir une pelouse méticuleusement entretenue. Un parterre de dahlias agrémentait le décor. Une bâtisse cossue se présenta au regard de la jeune fille.

Une maison typiquement anglaise, un cottage.

Bob stoppa devant le perron où deux petites filles attendaient les arrivants.

— Bienvenue, Mademoiselle! s'exclamèrent-elles en chœur tout en offrant chacune un bouquet d'œillets roses à la nouvelle venue.

— Merci! Vous êtes adorables, répondit-elle, émue par cet accueil si chaleureux.

Les petites filles souriaient de toutes leurs dents nacrées. Vêtues de la même robe rose à carreaux, ayant les mêmes cheveux blonds et les mêmes yeux bleus, on eût dit des jumelles; elles étaient délicieuses à regarder.

John les embrassa et fit les présentations.

— Eliane Cordelier, votre professeur, dit-il, puis s'adressant à la jeune fille, il ajouta : Voici Norma et Judith.

Soudain Eliane tressaillit. La sensation d'être observée lui fit relever la tête. Elle aperçut une femme en noir à l'une des fenêtres de l'étage. Son regard lui fit froid dans le dos. « Qui peut-elle bien être? se demanda-t-elle, est-ce la maîtresse de maison? » L'instant d'après, le personnage avait disparu. Seul le rideau transparent bougeait encore. La jeune fille eut l'intime conviction que cette apparition lui serait hostile.

— Rentrons! dit John.

## CHAPITRE II

— COMMENT trouvez-vous ce rôti?

Le regard interrogateur, John s'était adressé à Eliane.

— Excellent! Mais je lui trouve un goût curieux, qu'est-ce que c'est?

— Je ne pense pas que vous ayez pu en manger ailleurs. C'est du kangourou!

Elle écarquilla les yeux.

— Je n'aurais jamais imaginé que cet animal fût comestible. Je croyais plutôt qu'il faisait partie des choses sacrées, comme par exemple les vaches en Inde.

Il éclata de rire.

— Ici, nous sommes aux antipodes de la France. Les recettes de cuisine ne sont pas celles de l'Europe. J'espère au moins que cela ne vous coupera pas l'appétit!

Eliane se tut, embarrassée. C'était comme si elle était en train de manger du chat.

Rosa, la gouvernante, assise en face d'elle, grimaça un sourire moqueur.

— Il faudra vous y faire, ma chère. La cuisine australienne vaut bien celle de votre pays!

Eliane répondit poliment à l'attaque :

— J'ai déjà dit à John que ce rôti était excellent.

Rosa continua sur le même ton :

— Ici en Tasmanie nous avons nos habitudes. Monsieur Middleton a su vous le faire comprendre!

John regarda Eliane de ses yeux bleus, paisibles.

— Rosa exagère, nous ne mangeons quand même pas les lézards!

Eliane se disait que Rosa avait pris un ton bien acerbe pour lui parler. Son visage livide affichait une rancœur évidente. Cette femme en noir qui était à la fenêtre, c'était bien elle.

Norma et Judith, le nez dans leur assiette, se taisaient. Le visage de Rosa se rembrunit. Elle reprit d'un air pincé :

— Ce que j'en disais...

John lui coupa la parole :

— Voyons Rosa, laissons le temps à Eliane de s'habituer à notre façon de vivre. Nous n'allons pas commencer par l'effrayer.

Il regarda la jeune fille.

— Rosa, malgré son caractère, est une bonne âme. Elle est plus gentille qu'elle ne le laisse paraître.

— Pas si gentille que ça, dit Norma, la bouche pleine.

— Veux-tu te taire! ordonna le maître des lieux. N'oublie pas que tu lui dois le respect!

— Je m'en fiche! rétorqua la petite fille, avec aplomb.

John se dressa.

— Tu vas aller te coucher sur-le-champ! Petite impertinente! Mario t'apportera le reste du dîner dans ta chambre. Allez file!

Norma quitta sa place et, penaude, se dirigea vers l'escalier conduisant à l'étage.

Depuis un moment Eliane se posait des questions. Elle avait constaté que la maîtresse de maison n'était pas à table. « Mais où est madame Middleton? » Jusqu'à présent personne n'en avait parlé. Sur ce sujet, le silence était total.

John lui avait expliqué comment il envisageait les cours qu'elle devait donner aux filles. Il lui avait précisé :

— Chaque jour au retour du collège, vous donnerez votre leçon de français.

C'est ainsi qu'elle avait appris que c'était Bob qui emmenait chaque jour Judith et Norma à Hobart.

De nombreuses photographies posées sur les meubles du salon, représentant une jeune femme rousse aux yeux verts, avaient attiré son attention. Par leur finesse, les traits du visage rappelaient vaguement une actrice de cinéma; Eliane avait le sentiment de l'avoir déjà vue quelque part. Cela l'amena à penser confusément à sa voisine de table, Rosa, cette gouvernante au caractère récalcitrant. Il était certain que la sympathie ne serait pas l'apanage de leurs relations, mais que pouvait-elle y faire? Elle avait l'impression que cette femme ne la portait pas dans son cœur.

Mario, le majordome, apporta le reste du repas et s'occupa du service. « Quel âge peut-il avoir? Vingt-cinq ans? » se demanda-t-elle. L'œil de velours, d'origine italienne par sa mère et anglaise du côté de son père, il alliait le charme latin au flegme britannique. C'était un serviteur zélé sans aucun doute.

Rosa, Stella, Véra, Mario, étaient de souche italienne. Parmi les domestiques, seul Bob était d'origine anglaise.

Au cours du dîner, Mario jetait des regards furtifs en direction de la jeune fille. Sur le moment elle n'y accorda pas d'importance. Son esprit voguait ailleurs. Ce qui la tracassait c'était l'atmosphère étrange, inexplicable qui régnait sur cette maison. Elle en était mal à l'aise. La voix de la gouvernante la fit sursauter :

— Tu vas aller dormir, Judith, et dis à ta sœur de se coucher aussi. Attention, je viendrai vérifier! Embrasse ton papa.

La petite fille se glissa vers John, mit les bras autour

de son cou et lui fit une bise puis, regardant Eliane, elle souffla un baiser par-dessus sa main. Ce geste, venu du cœur, émut profondément la jeune fille. Elle remercia par un sourire.

— Bonne nuit, Judith, à demain.

— Bonsoir! dit la petite fille en partant.

Mario revint servir.

— Vous avez apporté le reste de son dîner à notre effrontée de Norma?

— Oui monsieur.

Le repas prenait fin.

— Vous voyez, nous aussi avons des vins égalant les crus français, dit John en terminant son verre.

— Comme vous avez pu le constater, je n'en bois jamais. Je ne saurais guère apprécier la différence.

Bien que le malaise qu'elle avait éprouvé dans l'avion se fût dissipé, Eliane se sentait encore lasse. Son désir le plus immédiat était de regagner sa chambre.

— Me permettez-vous de me retirer? demanda-t-elle d'une voix à peine audible.

Rosa lui jeta un regard noir mais ne dit rien. John approuva.

— Mario va monter votre valise et vous indiquer la chambre qui vous est réservée. Elle se trouve à côté de celles de mes filles.

Eliane se leva et tendit la main à John. Il s'empressa de la serrer. La gouvernante quitta sa chaise et saisit la corbeille de fruits. Elle donnait l'impression de vouloir éviter tout contact physique avec la jeune fille. D'une voix sèche, elle dit :

— Bonsoir mademoiselle Cordelier!

Eliane se retourna.

— Bonsoir Rosa, répondit-elle, l'air égaré.

Elle suivit le majordome en pensant que Rosa gardait devant John une politesse forcée. Il était évident qu'elle dirigeait le cottage. Mais de quoi avait-elle peur? Qu'on lui ôte son droit d'autorité?

Mario ouvrit une porte et alluma la lumière. Il posa la valise sur le sol et dit :

— Bonsoir, Mademoiselle, je vous souhaite un bon sommeil pour cette première nuit en Tasmanie. Je vous informe que le breakfast est à huit heures.

— Merci Mario, souffla-t-elle dans un dernier effort.

Elle pénétra dans une pièce garnie de meubles anglais. Elle ne s'attarda pas à regarder le décor. Seul, le lit était le sujet de ses préoccupations pour le moment. Exténuée par cette journée interminable, elle alla se regarder dans le miroir de l'armoire. Ses beaux yeux noirs semblaient ternes. « C'est certainement la fatigue qui en est la cause », pensa-t-elle.

La sonnerie du réveil la tira brutalement de son sommeil. Eliane ouvrit les yeux et mit quelques secondes à reconnaître l'endroit où elle se trouvait. La veille, c'était une chambre d'hôtel qui avait été son lieu de repos et aujourd'hui elle se retrouvait encore dans un autre lit. La clarté du jour fusait à travers les rideaux. Elle embrassa du regard le décor de la chambre. La tapisserie était supportable. Le papier peint représentait des pervenches. Les coloris étaient doux, du bleu, du rose, du jaune, sur fond blanc. Deux tableaux figurant des paysages agrémentaient la pièce de leur charme. Une table en acajou sur laquelle trônait un abat-jour, une coiffeuse, une grande armoire à glace, deux chaises cannées, composaient le mobilier. Sur le sol, un immense tapis bleu et ocre recouvrait un parquet de bois clair. Au prix d'un effort surhumain, elle émergea de son lit. Dans sa chemise de nuit violette, elle se dirigea vers la fenêtre et l'ouvrit.

Le ciel bleu et le soleil la mirent en joie. Elle respira à pleins poumons l'air frais du matin. Ensuite elle alla dans le cabinet de toilette et commença par se coiffer. Pendant que le bain coulait, elle défit sa valise et rangea ses affaires dans l'armoire. Elle choisit une robe légère de cotonnade mauve à manches courtes, que sa mère lui avait confectionnée. Le col était blanc ainsi que les pois sur le tissu. Satisfaite de son choix, elle s'attarda dans la baignoire.

Un peu plus tard, elle était prête. La glace de l'armoire lui renvoya son image. Ses yeux n'avaient plus la nuance morne de la veille. Elle donna un dernier coup de peigne à ses cheveux soyeux et sortit de la pièce.

En descendant l'escalier elle contempla les tableaux fixés sur le mur. « John est un amateur d'art, dirait-on! » pensa-t-elle. Arrivée au salon, elle aperçut Norma et Judith, cartable en main, prêtes à partir pour le collège.

— Bonjour mes élèves! dit-elle tendrement.

Les petites filles lui sautèrent au cou et l'embrassèrent. Eliane fut touchée une nouvelle fois par tant d'affection à son égard.

— A ce soir, dit Judith, nous devons partir. Bob nous attend.

Elles sortirent en courant, pendant qu'Eliane allait vers la table centrale où le breakfast était servi. Il ne restait qu'une tasse, les autres ayant déjà pris leur petit déjeuner. Elle s'assit et se versa du thé, puis prit quelques toasts et de la marmelade d'orange.

— Bonjour Mademoiselle! s'exclama Mario, l'air de bonne humeur, apportant des œufs au bacon.

Il posa l'assiette sur la table et poursuivit :

— Monsieur Middleton vous prie de l'excuser. Il a dû partir tôt ce matin pour Hobart. Nous ne le verrons certainement que ce soir à l'heure du dîner.

— Il est huit heures trente! précisa Rosa en sortant de l'office.

Elle s'approcha de la table et fixa Eliane avec un semblant de reproche dans l'expression.

— Bonjour Madame. Je m'excuse d'être en retard, mais j'ai dû défaire ma valise.

— Il faut que vous sachiez une fois pour toutes que le breakfast est à huit heures précises, le déjeuner à midi et le dîner à six! C'est moi qui dirige cette maison et je ne tiens pas à ce que l'on change l'horaire établi.

Elle avait ponctué les mots de sa première phrase et avait baissé le ton sur la dernière.

Eliane remarqua que la gouvernante portait une robe de soie noire et des escarpins sombres. Son chignon était impeccable. Ses cheveux grisonnants laissaient supposer qu'elle avait au moins la cinquantaine. Son visage anguleux et ses yeux noirs, durs, lui donnaient un aspect autoritaire. « Serait-elle en deuil? » se demanda-t-elle.

Ayant fini son petit déjeuner, Eliane abandonna la table et sortit dans le jardin. Elle admira la superbe pelouse entourant le cottage et les innombrables fleurs du parterre. En levant la tête, elle aperçut Stella, la femme de chambre, en train de secouer des draps à l'une des fenêtres de la maison. Eliane remarqua que c'était la pièce où elle avait dormi cette nuit. L'autre lui fit un signe de la main en guise de bonjour. La jeune Française répondit de la même manière à son salut. Puis, continuant son petit périple, elle contourna le cottage, et franchit le portail en fer forgé. Une immense plantation de pommiers baignée d'une lumière blanche s'offrit à sa vue. Eliane se promena dans la campagne jusqu'à l'heure du déjeuner.

A midi, quand John était absent, le personnel mangeait à l'office. Comme Bob déjeunait à Hobart, à table il y avait Rosa, Stella et Véra la cuisinière. La jeune fille prit place en saluant les trois femmes. Mario vint s'installer à son tour.

— Bon appétit! fit-elle.

Les autres lui souhaitèrent également un bon appétit. Mario assura le service.

Le déjeuner se déroula dans un silence pesant.

Eliane repartit dans sa chambre et prépara son cours de français pour le soir. De ce côté, elle était tranquille sachant qu'avec Judith et Norma le contact avait été établi sans aucune difficulté. Elle prit également le temps d'écrire à ses parents.

John revint à quatre heures accompagné de Norma et de Judith. Il avait permis à Bob de rester chez lui puisqu'il était lui-même en ville.

Eliane entendit frapper à la porte de sa chambre. Elle ouvrit et vit Mario qui l'informa :

— Monsieur Middleton est de retour ainsi que vos élèves.

— Merci Mario.

Elle prit un livre de grammaire, de quoi écrire et descendit au salon. John était en train de converser avec Rosa.

— Il prétend que les lopins de terre bordant notre propriété appartenaient à son arrière-grand-père! disait-il.

Puis comme Eliane arrivait, il s'écria :

— Je suis ravi de vous voir, Eliane! J'ai eu depuis ce matin une journée assez pénible. J'en parlais justement à notre gouvernante.

Ils se serrèrent la main. Les filles finissaient de goûter.

John continua, légèrement nerveux :

— Figurez-vous que Van Hutter, mon voisin terrien, m'intente un procès. Il réclame une partie de mon domaine.

Ne sachant quoi répondre Eliane préféra garder le silence.

— De toute manière les terres appartenaient à Esther! lança brutalement Rosa qui jusqu'alors s'était tue.

— C'est la même chose, répliqua vivement John. Nous étions sous le régime de la communauté des biens.

Il s'interrompit, et s'adressa à ses filles :

— Etes-vous prêtes à affronter votre premier cours de français?

— Oui papa! répondirent-elles en chœur.

— Eliane, emmenez-les dans le jardin, vous y serez mieux.

Elle acquiesça et sortit de la pièce accompagnée de ses élèves. Toutes les trois s'installèrent à une table blanche laquée. La leçon commença.

A l'intérieur John et Rosa poursuivirent leur conversation.

— Je ne comprends pas! Van Hutter ose réclamer ce qui ne lui appartient pas! Il se moque du monde, vocifèra John.

— Je ne pense pas qu'il puisse gagner ce procès. Depuis le temps, il y a eu certainement prescription, déclara la gouvernante d'un ton calme.

— Bien sûr. C'est évident. Du moins, je l'espère.

Il fit une pause et reprit, l'air songeur :

— Je commence à comprendre pourquoi Esther l'intéressait tant! Et aussi la raison pour laquelle il lui prêtait ses meilleurs pur-sang pour la promenade.

Rosa sursauta.

— Vous savez bien, monsieur Middleton, que les chevaux étaient la passion de madame!

Il hocha la tête avec lassitude.

— Il essayait peut-être ainsi de l'amadouer pour lui faire restituer ces lopins de terre.

— De sa part, c'est bien probable. Dans le pays, il a la réputation d'un opportuniste et d'un habile homme d'affaires, souligna-t-elle.

Elle reprit aussitôt :

— Avez-vous vu maître Colby?

— Je suis passé le voir aujourd'hui. Il m'a demandé de lui apporter les titres et les actes de propriété. Je dois le revoir demain.

— Que puis-je faire pour vous aider, monsieur?

Il se mit à réfléchir.

— Voilà la clé du coffre, dit-il en extirpant un trousseau de sa poche. Veuillez chercher les pièces qui nous intéressent.

— Bien monsieur.

Rosa saisit les clés et se rendit à l'étage supérieur. John, pensif, alluma une cigarette. « Quelle foutue histoire! » se dit-il en se laissant choir dans un fauteuil.

Rosa appuya sur l'interrupteur et la lumière éclaira la chambre d'Esther. Le coffre-fort étant dissimulé derrière un tableau, elle décrocha la peinture et introduisit la clé dans la serrure. Elle fit jouer les chiffres de la combinaison et la porte métallique s'ouvrit. Voyant une pile de dossiers dans un compartiment, elle s'en saisit. Elle repoussa doucement la porte du coffre et jeta un regard circulaire dans la pièce.

La chambre d'Esther était restée telle qu'elle était de son vivant. Seules les persiennes demeuraient toujours fermées plongeant la pièce dans la pénombre. La gouvernante s'occupait personnellement de la maintenir en état de propreté. John n'y venait jamais.

Rosa descendit les marches pesamment et se retrouva dans le salon.

— Voici les dossiers, dit-elle en les posant sur la table avec les clés.

John contempla l'énorme pile et émit un sifflement :

— Dire que je vais avoir à trier tout ça!

Rosa retourna à l'office pour voir où en étaient les préparatifs du dîner.

Il était six heures, la nuit tombait. Stella vint dresser la table. Eliane et les petites filles rentrèrent dans le salon.

— Et alors? demanda John en levant la tête.

— Nous avons fait une bonne promenade! s'exclama Norma en se jetant au cou de son père.

— Et ta leçon de français, a-t-elle été aussi bonne?

— Nous avons appris l'alphabet.
— C'est bien par là qu'il faut commencer.
Il regarda le professeur.
— Elles n'ont pas été trop cancres?
— Pas du tout, John. Ce sont des élèves douées. Je suis convaincue que les résultats ne se feront pas attendre.
— Vous m'en voyez réjoui, répondit-il en s'efforçant de sourire.
Il était préoccupé par le procès Van Hutter. Elle s'en aperçut.
— Vous semblez soucieux, John!
— On le serait à moins. Asseyez-vous, Eliane.
Elle obéit. Norma et Judith allèrent dans leur chambre faire un brin de toilette.
Il reprit :
— Mon voisin veut me déposséder d'une partie de ma propriété. Il va falloir que je me défende. Quel temps perdu!
— Mais pourquoi se décide-t-il tout d'un coup à vous attaquer? s'indigna-t-elle. Il aurait pu y penser avant, s'il est vraiment dans son droit!
— J'avoue que je suis de votre avis. Je ne comprends rien à cette histoire. Il y a beaucoup de points qui restent obscurs.
Il changea de sujet :
— Comment vous entendez-vous avec mes filles?
— Elles sont charmantes. Je pense leur apprendre le français dans un temps record.
Cette phrase le détendit un peu. Il la regarda en esquissant un sourire satisfait.
— Je sens que vous êtes une personne assez émotive, dit-il. Vous n'êtes pas trop déçue par l'endroit où vous vous trouvez? La maison vous plaît-elle? et les gens aussi?
— Oui John, je suis même ravie d'être ici.
— J'en suis également très heureux. Au fait n'oubliez

pas que demain nous ferons notre partie de tennis.

— J'essaierai de me montrer à la hauteur.

Elle se leva.

— Je vais aller me préparer pour le dîner et chercher les filles.

Il se replongea dans ses papiers pendant qu'elle gravissait les marches du grand escalier. En arrivant à l'étage, elle croisa Mario qui sortait d'une pièce.

— Bonsoir Mario, est-ce là votre chambre?

— Non, c'est celle de Mme Middleton.

Curieuse, Eliane demanda :

— Mais où est-elle?

Il eut un air triste et déclara étonné :

— Vous ne le savez pas?

— Euh non...

— Esther est décédée l'année dernière! Nous l'aimions beaucoup.

Stupéfaite, Eliane comprit subitement que la conversation qu'elle avait entendue entre Rosa et John aurait dû lui mettre la puce à l'oreille. Elle questionna encore :

— De quoi est-elle morte?

— Un accident, une chute de cheval lui fut mortelle.

— Comment cela?

— Faire des randonnées à cheval était sa passion. Ce jour-là, elle montait une jument plutôt nerveuse. La bête se cabra, elle fut projetée à terre et se brisa le cou.

— C'est horrible! souffla la jeune fille.

— Je n'aurais peut-être pas dû vous le dire, dit-il sur un ton d'excuse.

— Si, si, vous avez très bien fait. D'ailleurs j'aurais fini par le savoir un jour où l'autre.

Eliane pensa à Judith et à Norma. Ces petites filles n'avaient plus de maman. Leur débordement d'affection s'expliquait. Elles devaient se sentir frustrées du sentiment maternel. C'était tragique!

Mario s'éloigna vers l'escalier.

— Le dîner est dans cinq minutes, précisa-t-il.

Eliane entra dans sa chambre. A travers le mur elle entendait les voix de ses élèves. Une grande tristesse s'empara d'elle. Ses yeux s'embuèrent. C'était donc Esther Middleton qui souriait sur les photographies du salon.

## CHAPITRE III

— JE n'aurais jamais cru que vous puissiez être une si bonne joueuse!

John s'interrompit et observa Eliane. Il semblait réfléchir.

— Que penseriez-vous, si je vous demandais de participer à notre tournoi annuel?

Elle le fixa, éberluée.

— Vous croyez que je pourrais affronter les tennismen d'Hobart?

Il enchaîna :

— Votre style m'a convaincu. Nous ferons équipe au double mixte. Les autres n'auront qu'à bien se tenir!

Il sourit. Elle se sentit flattée et fière de cette proposition.

— Alors vous êtes d'accord?

— J'accepte avec plaisir.

Elle se mit à sautiller sur le chemin en balançant sa raquette et en avançant à côté de cet homme qu'elle admirait profondément. Elle était heureuse d'être appréciée à ce point. Ils marchaient vers le cottage. Elle se dit : « Au fond cette éventualité ne me déplaît pas. » Elle demanda :

— Ce tournoi, quand a-t-il lieu?

— La semaine prochaine.

— Mais n'est-ce pas trop tard pour s'inscrire?

— Je m'étais déjà inscrit pour le double. Hélas! Ma partenaire a eu une fracture de la cheville en faisant du ski.

— Ah! On peut faire du ski ici?

— Oui, sur le mont Kosciusko, il est à deux mille mètres d'altitude. Pendant la plus grande partie de l'année nous avons de la neige.

— C'est formidable!

Il la regarda, bienveillant :

— Je vous avais bien dit que l'île vous enchanterait.

— En somme ici, vous avez tout pour être heureux.

Son regard se rembrunit et il fit un effort pour parler :

— Normalement oui, n'était-ce ce procès qui me tombe sur les bras et qui me préoccupe énormément.

— Vous croyez que votre adversaire gagnera?

— Je ne le pense pas. J'ai consulté les titres de propriété. Tout me semble régulier. Cependant, j'ai donné carte blanche à mon avocat pour qu'il mène cette affaire à son terme au mieux de mes intérêts. Je lui ai apporté tous les documents. Maintenant, c'est son problème. Qu'il fasse son travail.

— Qui est exactement ce Van Hutter?

John eut un moment d'hésitation puis se décida à parler :

— A vrai dire, je ne le connais pas. Je sais qu'il voyait souvent Esther. La passion de l'équitation était dominante chez elle. Et comme il est éleveur de chevaux de course, il lui louait souvent des montures.

Eliane entendait pour la première fois John parler de son épouse. Sa curiosité était si grande qu'elle osa demander :

— Esther est bien la personne dont j'ai vu les photographies sur plusieurs meubles du salon?

L'air sombre, il répondit gravement. Une ride se forma sur son front.

— Oui, Eliane.

Elle rougit de son audace et dit d'un ton compatissant :

— J'espère ne pas avoir réveillé de douloureux souvenirs.

Il ne prêta pas attention à la phrase et poursuivit :

— Esther était mon épouse. Nous étions mariés depuis neuf ans. Notre voyage de noces, nous l'avions fait en France. Tout allait bien jusqu'à l'année dernière où une chute de cheval lui fut fatale.

Eliane s'associa à la tristesse de son compagnon.

— Cela a dû vous affliger, je comprends.

— Ce sont surtout les enfants qui en souffrent le plus. Une mère ne se remplace pas.

Elle se trouvait émue; les larmes lui piquaient les yeux.

— A quelle époque est-ce arrivé?

— Le 30 avril. Dans quelques jours, ce sera l'anniversaire de sa mort!

— Dans trois jours. Où est-elle enterrée?

— A Launceston.

— Pourquoi pas à Hobart?

— Oui, je comprends. Cela vous surprend. Je dois vous apprendre que son arrière-grand-père, son père, sa mère sont enterrés là-bas dans le caveau familial.

Eliane comprit pourquoi John était si soucieux. En plus de ce procès avec Van Hutter, le souvenir de sa femme devait le torturer. Elle essaya de modifier le cours de la conversation.

— Ils sont superbes ces pommiers. Vous devez faire de bonnes récoltes.

Il contempla les arbres alignés.

— Oui, tout cela appartenait à Esther. Son père lui avait tout légué.

Ils arrivèrent devant le portail d'entrée et le franchirent. Revenues du collège, Norma et Judith jouaient au ballon sur la pelouse.

— Qui a gagné? demanda Norma à son papa.

— Personne, car Eliane est une championne!

Il précisa :

— Nous avons fait match nul.

— C'est vrai? dit la petite fille incrédule.

— Oui, répondit Eliane. Mais votre papa est un galant homme. Je suis certaine qu'il est plus fort que moi.

— La partie fut quand même très serrée, ajouta John.

— Nous aussi nous faisons du tennis! annonça Judith.

— Préparez-vous, les filles. Je vais me changer, ensuite je vous donnerai votre cours.

Eliane gagna la maison en essayant de refouler une irrésistible envie de pleurer.

Les cyprès et les acacias ombrageaient les tombes du cimetière. Le soleil d'avril se fixait dans un ciel bleu translucide. Légèrement frais, l'air était agréable à respirer.

— Voici le caveau, annonça John sentencieusement.

Derrière lui se tenaient Rosa, Eliane, Véra, Judith et Norma. Véra déposa l'énorme bouquet d'œillets blancs sur la dalle de la tombe. Judith enleva d'un vase les fleurs fanées qui s'y trouvaient. Norma prit un tuyau d'arrosage et, ouvrant un robinet d'eau courante, elle s'empressa d'arroser la tombe. Rosa défit le bouquet et, un ciseau dans la main, coupa les tiges trop longues. John et Eliane restaient silencieux à l'écart; ils attendaient. Une inscription sur le marbre blanc indiquait : 1954-1979. Eliane pensa : « Esther n'avait donc que vingt-cinq ans, lors de son accident. »

Rosa rangea les fleurs dans les vases et tous se recueillirent.

— Repartons maintenant, dit John d'une voix nouée par l'émotion.

Le groupe s'éloigna et sortit de l'enceinte mortuaire. La Ford les attendait devant la porte d'entrée. John se mit au volant. Rosa se hissa à ses côtés avec Véra, tandis qu'Eliane et les filles prenaient place à l'arrière. La voiture démarra et prit la route de l'aéroport. Personne ne parlait. D'habitude si turbulentes, Norma et Judith se taisaient aussi. Le paysage défilait. La route serpentait dans la savane. Eliane regardait, sans les voir, les nombreux acacias aux troncs frêles. Une grande tristesse s'était emparée des occupants du véhicule.

Eliane réfléchissait. C'était vraiment accablant, pour un homme, de perdre sa femme et, pour des enfants, leur mère. « Les épreuves de la vie sont parfois difficiles à supporter », se dit-elle.

Esther était morte très jeune. La vie lui avait été enlevée alors qu'elle n'en connaissait presque rien. Elle avait eu néanmoins le bonheur de mettre deux jolies petites filles au monde. Stella lui avait appris qu'Esther s'était mariée à seize ans. Les gens s'épousaient de bonne heure en Australie, c'était la coutume. Les filles dépassant l'âge de vingt ans restaient souvent en souffrance à moins qu'elles ne tombent sur de nouveaux immigrants. Les hommes préféraient leur cercle d'amis et leurs activités sportives.

Eliane se dit que, sur le plan psychologique, les gens de ce pays semblaient totalement différents des Européens. D'après Stella, ils se mariaient et divorçaient comme partout ailleurs. Mais le fait de dédaigner les jeunes filles lui paraissait étrange. Une certaine nonchalance, voire une certaine paresse serait la cause de ce désintérêt. Sous les tropiques tout semblait différent. Spontanément elle se remit à penser à John.

Lui au moins n'avait pas l'air de la dédaigner. Il paraissait même plutôt attiré par elle. C'était l'évidence. Sans doute, ne pouvait-il le montrer à cause de son deuil récent. Esther devait lui manquer terriblement. Il était jeune, séduisant, dans la force de l'âge. Rester sans compagne ne pouvait lui convenir. Cette perspective ne lui avait pas échappé. Il était un être qu'elle aurait aimé rencontrer plus tôt, avant qu'il se mariât par exemple. Maintenant il était trop tard, John Middleton avait déjà organisé sa vie.

« C'est drôle, pensa-t-elle étonnée d'une constatation qui lui vint à l'esprit, son regard profond me subjugue. Chaque fois je me sens transformée. Une sensation de bien-être me parcourt. Serait-ce de l'amour? »

— Nous repartons pour le cottage!

La voix de John la tira de ses réflexions. Elle aperçut l'entrée du petit aéroport. La voiture s'arrêta sur le parking.

— Je vais au service des locations et je vous rejoins.

A grandes enjambées John partit en direction d'un bâtiment.

Un quart d'heure plus tard le *Tander* était dans les airs et surplombait Launceston. Chacun restait grave, l'anniversaire de la mort d'Esther les ayant submergés de tristesse. On n'entendait que le ronronnement du moteur.

Le trajet du retour se passa sans encombre. John reconnut la piste et posa délicatement l'appareil sur le sol. Bob était déjà là avec la Ford. Tous quittèrent l'avion et montèrent dans le véhicule.

Quelques minutes après, ils étaient à la maison.

Eliane monta tout de suite dans sa chambre. Elle se sentait épuisée par cette éprouvante journée. Les autres s'étaient installés dans le salon et bavardaient. Esther était le sujet de la conversation.

Eliane n'avait pas voulu écouter les réflexions qu'ils échangeaient, dès la descente de voiture. Elle pensait qu'Esther était toujours présente dans le cottage et qu'il lui serait impossible de la faire oublier à John, et encore moins à Rosa qui lui vouait un culte fanatique. Elle se souvint que le jour de son arrivée, elle avait supposé que c'était peut-être Esther qui se trouvait à la fenêtre observant les arrivants, alors que ce n'était que la gouvernante.

Sa certitude était que sa première impression avait été la bonne. Rosa personnifiait l'autorité et n'était pas du genre facile. Eliane se demanda si elle pourrait supporter longtemps cette gouvernante. De son côté elle ferait de son mieux pour que la vie en commun soit possible. Tiendrait-elle jusqu'au bout de son contrat? Cette maison l'angoissait. Des ondes maléfiques semblaient y régner. Ce soir, il en était de même. Etait-ce dû à la visite au cimetière? A part John et les petites filles, les autres personnes de la maison ne paraissaient pas très affables à son égard. « On dirait qu'ils sont de connivence », se dit-elle. Le sommeil interrompit ses pensées.

— Je vous présente maître Colby, dit John.

Eliane vit devant elle un homme en complet gris au visage souriant. Il tenait un chapeau à la main.

— Enchanté!

John présenta Eliane à son défenseur :

— Voici notre professeur, maître.

— Je suis ravi de rencontrer une Française. M. Middleton m'a parlé de vous. Il paraît que vous êtes une championne de tennis.

— John exagère...

L'avocat reprit :

— M. Middleton a une chance inouïe de vous avoir près de lui, vous êtes ravissante!

Le compliment la fit rougir.

— Vous êtes trop aimable.

Maître Colby était un homme d'une cinquantaine d'années. Le visage rond et rose, il avait un embonpoint qui laissait deviner son goût pour la gastronomie. Son visage bienveillant en apparence, dissimulait cependant assez mal la lueur rusée qui brillait au fond de ses prunelles. Il complimenta encore :

— Je vois que la mode française est toujours *leader*. Votre robe en est un exemple. Vraiment superbe!

— Vous savez je ne suis pas ici pour présenter les modèles des couturiers français. Mais il se trouve en effet que ce vêtement est la réplique d'un modèle haute couture reproduit par ma mère.

— Cela n'enlève rien à votre bon goût.

— Je vous remercie, maître, répliqua Eliane en rougissant.

John était heureux de voir son avocat si flatteur.

— Les Françaises sont toujours habillées avec élégance, dit-il.

Il prit le bras de l'avocat.

— Venez, nous serons mieux dans le petit salon pour discuter de cette affaire.

Il regarda Eliane. Son visage n'exprimait plus la joie de l'instant précédent.

— Vous pouvez rester ici. Je n'en ai pas pour longtemps. Attendez-moi, j'ai à vous parler.

Elle s'assit avec un geste d'assentiment, pendant que les deux hommes s'engouffraient dans une petite pièce attenante au salon.

Eliane s'avança dans le salon et s'approcha machinalement d'une luxueuse commode. Un cadre photographique trônait entre deux candélabres électriques. Elle examina le visage régulier d'Esther Middleton. Deux grands yeux verts, une bouche finement ourlée, des pommettes saillantes, une abondante chevelure rousse. « Qu'elle était belle! remarqua la jeune fille. Mourir à vingt-cinq ans, c'est trop bête! » Soudain près de la photo, elle aperçut une broche en émeraudes serties de diamants. « Quel joli bijou! Mais à qui appartient-il? Et comment se fait-il qu'il se trouve sur ce meuble? »

Eliane prit la broche dans sa main et admira les pierres miroitantes.

Une voix tranchante retentit dans son dos :

— Ne touchez pas à ça!

La gouvernante s'approcha furieuse.

— Rendez-moi cette broche!

Stupéfaite, Eliane demeurait sans réaction. Se précipitant sur elle Rosa lui saisit le poignet, la forçant à ouvrir la main. Puis elle saisit le bijou.

— Que je ne vous reprenne plus à toucher aux affaires d'Esther.

— Mais je ne savais pas, madame, répondit la jeune fille en frottant son bras meurtri. La gouvernante avait une force insoupçonnée.

— Que se passe-t-il? demanda John en sortant du petit salon, suivi par maître Colby.

Rosa brandit la broche d'un air triomphal.

— C'est le cadeau que j'avais fait à Mme Middleton le jour de ses vingt ans. Ce bijou me vient de mon arrière-grand-mère. Je l'avais posé là pour le nettoyer avant notre départ pour le cimetière.

— Qu'y a-t-il, Eliane? demanda John en voyant la mine déconfite de la jeune fille.

Rosa répondit à sa place d'une manière vindicative.

— Elle avait la broche d'Esther dans les mains.

— Mais enfin Rosa! Eliane n'allait pas vous la dérober. N'est-ce pas? souffla-t-il en regardant la jeune fille.

— Je l'ai regardée par curiosité. J'ai trouvé bizarre que cette broche soit à cet endroit.

— Excusez Rosa, Eliane. Elle est souvent trop impulsive!

Outrée, la gouvernante partit vers l'office. Maître Colby prit la parole :

— Vous avez l'air toute retournée mon enfant.

— Ce n'est rien.

— L'incident est clos, reprit John. Je lui parlerai en tête à tête.

Il serra la main de l'avocat.

— Je compte sur vous pour tout arranger.

— C'est entendu mon cher! Je vous tiens au courant.

John raccompagna maître Colby sur le pas de la porte. Eliane se laissa tomber dans un fauteuil, songeuse. « Quelle drôle de bonne femme, cette Rosa! Pourquoi avoir posé la broche près de la photo de la morte? On dirait du fétichisme! Et, cette hargne avec laquelle elle s'est jetée sur moi pour m'arracher le bijou. Comme si j'avais eu l'intention de le voler! C'est ignoble de sa part. » La signification du geste de la gouvernante lui échappait. Décidément les choses n'étaient pas simples.

John revint vers elle.

— Alors, on la fait cette partie? Cela vous détendra.

— D'accord John.

Elle se souvint qu'il l'avait priée de l'attendre et se demanda ce qu'il avait l'intention de lui dire. Craignait-il qu'elle ne s'ennuie?

Peu après ils partirent vers le court de tennis.

— Demain je vous ferai visiter mes bergeries et le domaine.

— Je suis sûre que cela me passionnera.

Il scruta ses yeux noirs et lui dit tendrement :

— Dites-moi la vérité, Eliane, vous ne vous ennuyez pas ici?

Elle sourit. C'était bien ce qu'elle avait pensé. John s'inquiétait.

— Non, pas du tout.

Elle pensa aussitôt qu'avec une femme agressive comme Rosa, elle n'aurait pas de quoi trouver le temps long. Si la gouvernante tenait à lui rendre la vie impossible, elle devrait s'efforcer d'éviter tout conflit.

On eût dit que John lisait dans ses pensées car il ajouta, avec sa gentillesse habituelle :

— Pour Rosa ne vous en faites pas, je m'en charge. Je ne veux pas qu'il y ait d'antagonisme entre vous, il est préférable de vivre en harmonie, vous ne croyez pas?

— J'en suis convaincue.

Ils se mirent à rire, complices.

Le lendemain, le temps était radieux. Installé au volant de la Ford décapotable, John, impatient, donna trois coups de klaxon.

— Allez, dépêchez-vous, les filles! cria-t-il.

Judith et Norma s'installèrent à l'arrière. Eliane prit place sur le siège avant à gauche du conducteur. John mit le moteur en marche et démarra.

— Il fait un temps superbe et pourtant nous approchons de l'hiver.

— Quel est le mois le plus frais? demanda Eliane.

— Cela dépend. Le mois de juillet ici est semblable au mois de décembre dans votre pays. C'est assez curieux, n'est-ce pas?

— Oui, c'est vraiment le contraire de la France.

— En Tasmanie, nous avons un climat océanique. En ce moment, il fait vingt degrés, c'est une température idéale.

La voiture roulait en bordure d'une plantation d'ananas baignée de lumière et d'une forêt de pommiers. La plaine s'étendait à perte de vue.

— C'est immense! constata-t-elle.

— Tout cela m'appartient.

— A nous aussi! crièrent les petites filles.

Il regarda dans le rétroviseur et leur sourit.

— Bien sûr! Mais seulement quand vous serez grandes et surtout si vous êtes gentilles et sérieuses en classe.

Et se tournant vers Eliane :

— J'espère qu'elles ne vous donnent pas trop de mal.

— Non John, ce sont de charmantes petites filles.

— Nous deviendrons grandes nous aussi! s'exclama Judith en sautant sur son siège.

— Je vous ai demandé d'être calmes, sinon je vous ramène à la maison, gronda-t-il, faussement furieux.

C'était dimanche. Ils avaient emmené le nécessaire pour un pique-nique. Comme il l'avait promis la veille, John désirait montrer sa propriété à la jeune fille et en même temps reconnaître les limites de son territoire pour repérer les fameux lopins de terre réclamés par Van Hutter.

Eliane se demandait comment John pouvait supporter sa solitude. Evidemment il avait ses filles qui tenaient une grande place dans sa vie, sans compter le personnel du cottage et principalement Rosa... La jeune fille se sentait perplexe. Comment arrivait-il à supporter une femme si acariâtre?

Elle lui jeta un regard en biais et prononça, en pesant ses mots :

— Il y a longtemps que Rosa travaille chez vous?

— Depuis dix ans. Avant, elle était déjà au service d'Esther. C'était sa nourrice.

Il parla à voix basse pour que Norma et Judith n'entendent pas la conversation. Celles-ci regardaient le paysage en chantonnant un refrain.

— Je sens que vous ne l'aimez pas, affirma-t-il.

— Ce n'est pas cela, c'est plutôt elle qui ne me porte pas dans son cœur.

— Avant la mort d'Esther, elle n'était pas si vindicative. Il faut dire qu'elle l'aimait comme une mère aime sa propre fille. Je dois vous apprendre que pour élever Esther, Rosa est restée vieille fille.

— Stella et Véra ne sont pas mariées non plus, je crois?

— Non, pas encore, mais on ne sait jamais; cela pourrait bien leur arriver un de ces jours.

— Et Bob?

— Il a épousé une jeune fille grecque il y a deux ans.

— Il s'est marié très jeune!

— Ici en Australie les gens se marient tôt ou alors pas du tout.

— C'est ce que Stella m'a appris.

John la regarda étrangement avec un demi-sourire au coin des lèvres. Elle évita ses yeux et feignit d'admirer le paysage. Une intense émotion la parcourut. Cet homme possédait un pouvoir magnétique. Chaque fois qu'il lui parlait, elle avait d'énormes difficultés à cacher son désarroi. Cette fois-ci encore, elle rougit.

Il fit mine de ne pas s'en apercevoir et exliqua :

— Vous voyez là-bas? Ce sont mes bergeries. Nous allons nous y arrêter un instant.

La voiture s'engagea dans un chemin étroit bordé d'arbustes épineux et de ronces.

— Oh, les moutons! hurla Norma. Regarde, Judith!

Sur une longueur d'un kilomètre avançaient paisiblement des milliers d'ovins.

— C'est fantastique! s'enthousiasma Eliane qui n'avait jamais vu de sa vie autant d'animaux réunis. Elle demanda : Ils sont combien?

— Je possède environ dix mille têtes entre les ovins et les bovins.

— C'est quoi, les ovins, papa? interrogea Norma.

— Tu le vois bien, ce sont des moutons.

— Et les bovins?

— Des vaches!

— Ça alors! Pourquoi les appelle-t-on comme ça?

— Tu n'apprends donc rien au collège?

John arrêta la Ford devant des baraquements en

bois, à côté d'immenses enclos servant à parquer le bétail. Pour l'instant les animaux paissaient paisiblement, surveillés par des bergers aidés d'une meute de chiens.

Les occupants de la voiture descendirent.

Un vieillard trapu en blue-jean, les cheveux broussailleux et portant une barbe abondante, surgit d'une baraque.

— Bonjour monsieur Middleton! marmonna-t-il.

— Alors, Steeve, ça marche? Pas trop de maladies dans le cheptel?

— Non, tout va bien, nous avons eu pas mal de nouvelles naissances depuis votre dernière visite.

— Tu m'en vois heureux.

Le bonhomme se tourna vers les petites filles et regarda Eliane du coin de l'œil.

— Comme elles ont grandi!

Il s'adressa à la jeune fille :

— Je sens, mademoiselle, que vous n'êtes pas d'ici.

— C'est exact, répondit l'éleveur, Eliane est française.

— Ah la France! Comme c'est loin! soupira le chef de la bergerie.

Norma et Judith se mirent à courir en direction du troupeau, les joues rougies, en poussant des cris de joie. John et Eliane leur emboîtèrent le pas. Le vieux Steeve s'assit sur une caisse et bourra sa pipe. « Elle est bien jolie cette Française, rumina-t-il dans sa barbe grise, d'ici que le patron l'épouse, il n'y a pas un yard. Je n'en serais pas surpris. Depuis qu'il a perdu sa femme, il est triste, même s'il ne veut pas le montrer. Le vieux Steeve en connaît un rayon sur la nature humaine. Foi de vieux renard! »

— Votre propriété est très étendue John!

— Et encore vous n'avez pas tout vu. Ce n'est pas la place qui manque! Quand on dit lopin de terre, c'est une image, car cela représente des kilomètres carrés.

A côté de certains propriétaires, je fais figure de parent pauvre. Pour vous donner une idée de grandeur, sur le continent australien se trouvent des domaines dont la superficie est égale à celle du Luxembourg, par exemple.

— C'est colossal!

Ils arrivèrent tout près du troupeau. Norma et Judith caressaient quelques bêtes. De loin les bergers faisaient des signes amicaux de la main.

— Ils sont pleins de laine! constata Judith.

— Oui, on va bientôt en tondre une partie.

— Vous devez en produire une quantité énorme.

— Vous n'êtes pas sans savoir que l'Australie est le premier producteur mondial pour la laine. Nous en exportons partout.

— Je l'ai appris à l'école, répondit-elle en souriant.

Norma s'approcha de son père et lui prit la main.

— Nous avons beaucoup de moutons, papa! s'écria-t-elle fière.

Il se pencha vers elle et dit :

— Plus que tu ne pourrais en manger!

— Mais je ne veux pas les manger, ils sont si gentils.

Eliane et John rirent de la remarque de la petite fille.

— Reviens Judith, cria-t-il à son autre fille qui s'était quelque peu éloignée.

Elle revint en courant dès qu'elle entendit la voix forte de son père.

Le groupe se reforma.

— Nous allons manger notre pique-nique. Je pense que vous devez avoir faim? dit-il à l'adresse de ses filles.

— J'ai très faim, affirma Judith en se caressant le ventre.

— Moi aussi! ajouta Norma.

— Et vous Eliane?

Elle avait un creux depuis un bon moment, mais polie, elle attendait le moment du repas.

— Je crois que je ferai comme tout le monde. L'air de la campagne m'a donné de l'appétit.

Ils revinrent vers la Ford et mangèrent les sandwiches et les fruits qu'ils avaient apportés dans un panier, et burent des jus de fruits et du coca-cola.

Le vieux Steeve, de son pas traînant, partait rejoindre son troupeau et aider ses bergers à rentrer les moutons dans les immenses bergeries.

— A bientôt monsieur Middleton! grommela-t-il, sa pipe entre les dents, un sourire narquois aux lèvres.

John lui rendit son salut:

— Au mois prochain. Au revoir Steeve.

Le pique-nique terminé, ils remontèrent tous dans la voiture. John lança la Ford sur la petite route de terre battue.

— Nous allons passer en revue les limites du domaine et ensuite nous rentrerons, décida-t-il.

— Avez-vous des points de repère? s'inquiéta Eliane.

— En bordure des terres, il y a des piquets peints tous les cent mètres. J'ai toujours voulu rester en bons termes avec mes voisins, car il ne s'agit pas d'aller sur leurs pâtures. Nous avons assez de terrain!

La voiture laissait un nuage de poussière sur son passage. Le soleil continuait sa courbe descendante vers l'horizon. L'air devenait sensiblement plus frais. Un groupe de pigeons ramiers s'envola lorsque la Ford déboucha à l'entrée d'une forêt d'acacias qui avait subi un incendie. Le spectacle était sinistre, désolant. Il ne restait plus que des troncs calcinés.

— Je vois que vous avez aussi des problèmes de sécheresse! dit la jeune fille au conducteur.

— Effectivement. Le climat océanique est capricieux; nous avons de la pluie en été alors qu'on ne s'y attend pas, et aussi certaines années une température parfois exceptionnelle qui provoque des incendies comme celui qui a décimé cette magnifique forêt d'acacias.

— Dans le midi de la France nous avons chaque été le même problème. Des catastrophes de ce genre surviennent et nous avons souvent beaucoup de mal à circonscrire et à éteindre ces incendies.

Il lança tout à coup :

— Vous voyez ces pics rouges? Ce sont les points de repère dont je vous ai parlé. J'avais craint un instant que Van Hutter ne les ait enlevés.

A l'arrière, Norma et Judith s'étaient assoupies, enlacées.

John longea la piste en terre battue bordant le domaine. Ce n'est qu'au bout de quelques kilomètres qu'il se décida à reprendre le chemin du cottage.

— Nous prenons le chemin du retour maintenant. Je suis satisfait de ma vérification.

— Cela m'a fait plaisir de faire cette promenade, dit Eliane. Le paysage est si sauvage, tellement beau.

— Comme vous avez pu le constater, il est très diversifié. Nous sommes passés de la verdure luxuriante à la savane aride et cela dans la même région.

— Ce pays me plaît! ajouta-t-elle machinalement.

Il la regarda l'air ravi.

— Personnellement je l'aime beaucoup. Je ne pense pas que j'aimerais aller vivre ailleurs.

— Comme je vous comprends!

Maintenant la nuit était tombée. John avait allumé les phares. Les pneus de la Ford crissaient dans les virages. John accélérait l'allure. Comme la route était accidentée, Eliane s'agrippa à la portière pour ne pas être projetée contre le conducteur. Norma et Judith, secouées par les cahots, se réveillèrent en se frottant les yeux.

— On est encore loin de la maison, papa? demanda Norma d'une voix ensommeillée.

— Nous arriverons dans quelques minutes, les enfants.

Peu de temps après Eliane aperçut les lumières du cottage. Cette journée au grand air lui avait permis d'oublier ses angoisses des jours précédents. Elle pensa qu'elle allait être de nouveau obligée de supporter la gouvernante. Durant toute cette promenade, elle avait réussi à ne pas y penser. « Espérons que ce soir au dîner, Rosa sera aimable! » se dit-elle en soupirant.

## CHAPITRE IV

HOBART voyait se déverser dans ses rues une affluence inaccoutumée de visiteurs. Le tennis en Australie faisant presque autant d'adeptes que le football dans d'autres pays, la ville était envahie de tennismen et de leurs supporters. Le temps, superbe, paraissait tout à fait propice aux effusions sportives. Le soleil scintillait dans un ciel d'un bleu éclatant. Le thermomètre accusait vingt degrés, ce qui pour le mois d'avril était normal.

John et Eliane descendirent de l'enceinte du court où ils se trouvaient et se frayèrent un passage à travers les spectateurs jusqu'aux vestiaires. Depuis le matin, ils avaient assisté à de nombreuses parties. Dans un moment ce serait leur tour d'entrer dans la compétition. Les gradins étaient bondés de connaisseurs qui, enthousiastes, applaudissaient à la fin de chaque set. Plusieurs courts servaient le tournoi, car les concurrents étaient nombreux à participer à cette compétition annuelle.

— Vous sentez-vous à l'aise? demanda John à sa partenaire.

— Je vous avouerai que j'ai un peu le trac. Mais sur le terrain il se dissipera certainement.

Chacun se dirigea vers sa cabine pour se mettre en tenue.

Eliane était contente. Pour elle, être à Hobart était une fête. Une ambiance joyeuse régnait parmi la foule. « Pourvu que je ne manque pas mes services », s'inquiéta-t-elle. C'était son point faible. Par contre, ses revers fulgurants désarçonnaient souvent ses adversaires. Elle en était fière. Tout en enlevant sa robe crème à pois verts pour la troquer contre sa jupette et son corsage blancs, elle se dit qu'il fallait absolument qu'elle évite de faire perdre John. Elle laça ses chaussures de toile, puis se regarda dans le miroir fixé sur la porte de la cabine. Satisfaite de sa beauté, elle prit sa raquette et sortit à l'air libre. Elle respira profondément le doux parfum de l'après-midi en s'efforçant de se libérer de l'émotion qui la tenaillait. John l'attendait déjà à l'entrée du court où devait se disputer la partie.

— Je suis prête, John! J'espère que je vous ferai honneur, sinon je ne saurai plus où me mettre.

— Allons! Si nous perdions, ce ne serait pas bien grave. L'essentiel est de garder un esprit sportif et de se donner entièrement au jeu. Le reste est une affaire de circonstances et de chance aussi.

Le public applaudit les joueurs sortants.

— Bonne chance, dit l'un d'eux en passant près d'Eliane.

Ce fut John qui répondit :

— Merci, nous essaierons de faire aussi bien que vous. J'ai admiré vos smashes. Félicitations!

L'autre, flatté, sourit en faisant un signe de sa raquette pour remercier son interlocuteur du compliment.

Les deux partenaires entrèrent sur le terrain. Le speaker annonça leurs noms, ainsi que ceux de leurs adversaires.

Après un long coup de sifflet, la partie commença...

La partie terminée, John et Eliane sortirent du court. John ne cachait pas sa joie.
— Je vous félicite! s'exclama-t-il, nous irons en demi-finale!
La sueur perlait sur le front de la jeune fille. Elle répondit rougissante :
— C'est grâce à vous, vous avez été remarquable!
— C'est quand même vos revers qui ont sauvé le dernier set.
Elle renchérit :
— Vos services et vos coups droits sont percutants et difficiles à contrer. De ce côté-là, vous avez été formidable!
— Quand vous aurez pris votre douche, rejoignez-moi au secrétariat.
— Entendu, John.
Elle s'éloigna en faisant tourner sa raquette dans sa main, heureuse d'avoir gagné avec John la première manche de ce double-mixte.
John avait contribué pour la plus grande part à la réussite de l'épreuve, car au milieu de la partie, un découragement s'était emparé d'elle, lorsqu'elle avait manqué à deux reprises son service.
Elle avait ressenti une gêne insurmontable quand John l'avait regardée, l'air déçu. Aussitôt un sursaut de courage la fit redoubler d'attention et, finalement s'étant ressaisie, ils égalisèrent et gagnèrent le dernier set. La partie était sauvée!
« Le mérite en revient à John », pensa-t-elle.
S'étant changée, elle rejoignit son compagnon dans la salle du secrétariat. En l'apercevant John s'écria :
— Venez Eliane, je vais vous présenter notre arbitre.
Eliane s'approcha.
— Ainsi voilà notre petite Française! dit l'arbitre, je tiens à vous féliciter. Votre style m'a enthousiasmé, surtout votre revers!

— Hélas, mes services laissent parfois à désirer.

— Voyons, voyons, qui a dit cela? fit-il complice.

— L'essentiel c'est d'aller en demi-finale! ponctua John.

— Exactement. N'oubliez pas que le deuxième double a lieu demain à onze heures! Ne vous couchez pas trop tard, si vous voulez être en forme. Vos prochains adversaires risquent d'être plus coriaces. Ce sont des semi-professionnels.

— Nous ferons de notre mieux pour obtenir la victoire, déclara John en arborant un large sourire à l'intention de l'arbitre.

Ils se serrèrent la main et prirent congé. Quand John et Eliane se retrouvèrent dehors, ils s'aperçurent que la nuit commençait à tomber.

— Cette fois-ci, vous ne me direz pas que vous n'avez pas faim! s'exclama John en fixant sur sa partenaire un regard étincelant. Je vous invite à dîner. Nous nous devons de fêter notre première victoire.

— D'accord. Je serais bien ingrate de vous refuser ce plaisir. D'autant plus que je suis affamée!

— Je vous propose un petit restaurant charmant. Vous n'y mangerez pas exactement de la cuisine française, mais elle s'en approche.

Ils se mirent à marcher dans la ville brillamment illuminée. Des guirlandes de lampions multicolores égayaient les rues. Les gens, venus des coins les plus retirés de l'île, déambulaient dans Hobart.

John et Eliane se mêlèrent à cette fourmilière humaine.

— Voilà notre endroit! annonça-t-il.

Eliane contempla une enseigne de métal, gravée de fleurs de lys, sur laquelle on pouvait lire: *A la vieille France.*

— Est-ce un Français qui tient cette taverne?

— Oui, mais il est cuisinier comme moi je suis

empereur. Il est surtout spécialiste du steak-frites et de la côte de bœuf.

— Espérons que la viande sera tendre, susurra la jeune fille.

Ils entrèrent dans l'établissement plein à craquer. Cependant, ils purent s'installer dans un endroit plaisant. Le décor fit sourire Eliane. Les meubles imitaient pompeusement le style Louis XV; les tentures aux motifs de chasse à courre et les chandeliers scintillants composaient une douce atmosphère. Sur chaque table il y avait une nappe blanche immaculée brodée de fleurs de lys. Un chandelier à trois branches garni de bougies répandait une lumière intime. Les gens parlaient à voix basse. L'endroit se prêtait aux confidences.

— Comment trouvez-vous ce restaurant? demanda John légèrement inquiet de l'avis de la jeune fille.

— Le décor est assez surprenant mais on s'y habitue.

Elle se plongea dans la lecture du menu que le garçon avait posé devant elle.

— Je vous ai prévenue, dit joyeusement John, ne vous attendez pas à manger des cuisses de grenouilles!

— Ne vous inquiétez pas pour moi. La côte de bœuf suffira.

La lumière des bougies jetait des reflets blonds sur sa chevelure sombre et ses yeux noirs brillaient comme des scarabées.

John semblait flatté d'être en sa compagnie. Lorsque le maître d'hôtel s'éclipsa avec leur commande, il reposa le menu qu'il tenait et dit d'une voix chaude et caressante :

— Vous êtes en beauté ce soir, Eliane. Le sport vous réussit!

— Pourtant je me sens plutôt fatiguée. Je crois que je n'aurai pas d'insomnie cette nuit.

Le compliment de son voisin de table la rendait

à la fois heureuse et perplexe. Malgré elle, une légère rougeur lui colora les joues. John remarqua son émoi et la dévisagea entre les branches du candélabre.

— Vous êtes une très jolie fille, continua-t-il de sa voix suave.

— Vous aussi, vous ne manquez pas de charme, balbutia-t-elle.

Ils se turent, car le garçon apportait les plats qu'ils avaient commandés. Chacun alors s'occupa de se restaurer. Les chuchotements des tables voisines ressemblaient à un ronronnement apaisant. L'ambiance rassurante du restaurant faisait oublier à Eliane ses efforts de la journée, ses muscles douloureux.

John mangeait lentement et paraissait complètement détendu. Soudain, il rompit le silence :

— Cet endroit me fait penser à la France et, plus particulièrement, à Cannes, où je suis passé quand j'ai visité votre pays.

— Quelle coïncidence! C'est ma ville natale.

— Oui et c'est d'ailleurs un peu pour cette raison que j'ai préféré votre candidature à d'autres quand il a fallu donner un professeur à mes filles.

Eliane se taisait. Subitement elle s'était mise à penser à Esther. Elle eut l'étrange certitude d'avoir vu des photographies de la jeune femme à Cannes dans le magasin de son père. Celles-ci étaient exposées dans la vitrine du magasin. S'armant de courage, elle posa la question qui lui brûlait la langue depuis quelques minutes :

— Lors de votre passage à Cannes, n'avez-vous pas rendu visite à un photographe?

Il la regarda, étonné.

— Mais... comment le savez-vous?

— Je vais vous l'expliquer. Mon père tient un magasin de photo sur la Croisette et j'ai souvent aperçu dans la vitrine le portrait d'une belle femme. Je n'y prêtais pas attention car papa met toujours en évidence ses réussites photographiques comme un peintre expose ses œuvres.

Elle reprit son souffle et continua :

— Le jour de mon arrivée en Tasmanie, quand j'ai vu la photo de votre femme dans le grand salon, j'ai eu immédiatement l'impression de l'avoir déjà vue quelque part. Sur le moment je n'arrivais pas à me rappeler où.

— C'est fantastique! s'écria John qui n'en revenait pas des révélations de la jeune fille. Comme le monde est petit et comme c'est curieux, ce que vous m'apprenez là! Effectivement, j'ai demandé à un photographe de faire le portrait d'Esther. C'était l'époque de notre voyage de noces...

— C'est pour cette raison que vous êtes allé en Europe?

— Oui Eliane, souffla-t-il en prenant un air de circonstance. Pendant l'espace d'un éclair son visage s'assombrit puis il redevint souriant comme avant.

— Je n'aurais peut-être pas dû vous parler de ça! murmura-t-elle confuse.

— Au contraire, cela me met en joie. De savoir que c'est votre père qui a photographié Esther me ravit. J'ignorais totalement quelle était son activité.

Il s'interrompit et parut réfléchir.

— Et votre mère, que fait-elle?

— Elle aide papa au magasin et s'occupe de la maison.

— Vous êtes leur seule fille?

— Ils n'ont pas d'autres enfants.

— Cela a dû être pénible pour eux de vous voir partir.

— Ils ont eu de la peine, mais j'ai toujours aimé voyager. L'appel du lointain a été le plus fort!

— Vous m'en voyez ravi. J'aurais tort de m'en plaindre.

Il sourit de toutes ses dents qui scintillèrent sous

la lumière des bougies. Eliane se sentit vraiment transformée par le charme et la générosité que dégageait cet homme, assis en face d'elle. Quand il souriait, elle fondait littéralement. Ses yeux prenaient une expression radieuse et perçante qui la faisait tressaillir.

Elle eut la force de lui répondre :

— Vous avouerez que c'est une coïncidence peu banale! Venir de si loin et se découvrir autant de points de rencontre, n'est-ce pas?

— Je n'en espérais pas tant!

Le garçon s'approcha et John demanda l'addition. Peu après ils se retrouvèrent dans la rue.

John prit la jeune fille par le bras, en un geste délicat.

— Notre hôtel se trouve juste à côté. Un sommeil réparateur s'impose car demain une grande journée nous attend!

Ils avancèrent dans la nuit et entrèrent dans leur hôtel.

— Bonne nuit, Eliane, dit-il en lui serrant la main avec chaleur.

— Bonsoir, John. Merci pour le dîner.

Il détacha son regard de la jeune fille et partit comme à regret.

Le lendemain, en se réveillant d'excellente humeur Eliane ouvrit les volets et s'aperçut, avec une joie enfantine, que le soleil brillait dans un ciel translucide. « La journée sera belle », se dit-elle. Tout en s'activant, elle se rappela la discussion de la veille au sujet d'Esther. C'était inattendu que John et son épouse soient allés chez son père. Aussitôt sa joie fut ternie par une ombre. Comment John pourrait-il oublier sa jeune femme?

Elle constata que c'était lui qui avait aiguillé la conversation sur le sujet sans s'en rendre compte.

Dès qu'elle fut prête, Eliane descendit dans la salle à manger de l'hôtel. John n'était pas encore là. Elle s'assit à une table libre. Aussitôt une soubrette lui apporta un copieux breakfast qu'elle attaqua de bon appétit. Décidément l'air de ce pays lui réussissait. Autour d'elle, des gens parlaient à voix haute en argumentant sur le tournoi de tennis. Certains faisaient des pronostics sur les futurs vainqueurs. L'équipe favorite et qui paraissait devoir l'emporter était celle de Launceston. Eliane écoutait les conversations d'une oreille distraite. John arriva et s'assit en face d'elle. Les traits reposés, il semblait prêt à affronter tous nouveaux adversaires d'un bon pied.

— Alors Eliane? Etes-vous en forme pour supporter cette deuxième journée?

Amusée, elle le regarda et répondit :

— J'ai dormi comme une marmotte. Je suis apte à reprendre le combat.

Voyant qu'elle avait terminé son petit déjeuner, il se leva.

— Venez, partons tout de suite, comme ça nous ne manquerons pas le début.

Elle s'inquiéta :

— Mais John, vous n'avez pas déjeuné!

— N'en croyez rien; j'étais debout aux aurores!

Ils sortirent dans la rue baignée par la lumière matinale. Elle soupira d'aise et, regardant le ciel, dit :

— C'est une journée splendide!

— Nous avons de la chance, il aurait pu pleuvoir.

Ils allèrent à pied vers le lieu de la compétition. Les rues avaient l'animation des jours de fête. La foule se bousculait et s'invectivait en plaisantant. La joie éclatait sur les visages et les rires fusaient. Une fanfare passa, égayant par sa musique les rues pavoisées.

John et Eliane prirent place parmi les innombrables spectateurs qui s'entassaient sur les gradins de l'enceinte du court où ils auraient à disputer leur deuxième manche. L'arbitre donna le signal et la seconde journée du tournoi commença.

Lorsque ce fut le tour d'Eliane et de John d'entrer en piste, ils se regardèrent, hésitants. John leva un pouce en l'air en signe d'attaque. Après le coup de sifflet de l'arbitre et le *shake-hand* rituel entre les adversaires, l'engagement eut lieu. Les balles de tennis survolaient le filet avec une sûreté saisissante. Chaque participant donnait toute sa mesure. John s'élançait à droite, à gauche. Sa partenaire ne demeurait pas en reste. Les lobs se succédaient, les smashes suivaient les coups droits. Pour une fois Eliane réussissait tous ses services. La partie était endiablée. Ils gagnèrent tous les sets. Ce fut la victoire. La foule en délire applaudit. John lâcha sa raquette et, dans un mouvement d'allégresse, saisit Eliane par la taille et la souleva dans ses bras. Elle dut se soumettre à la force de son partenaire. Elle se vit projetée dans les airs, légère comme une plume. Il la serra contre lui et allait l'embrasser sur les joues, lorsque dans un mouvement inopportun, ses lèvres rencontrèrent celles, extrêmement douces, de la jeune fille.

Elle fut surprise de sentir la bouche de John sur la sienne. Frémissante sous ce baiser qui se prolongeait, elle le repoussa faiblement. John la reposa toute rougissante sur le sol. Son cœur battait à se rompre et elle était tout étourdie de ce qui venait de lui arriver. Soudain un sentiment de honte s'empara d'elle.

Détournant la tête et baissant les yeux, sans trop savoir pourquoi, elle se mit à courir hors du court. Comprenant la détresse d'Eliane, John essaya de la rejoindre sous les regards ahuris des spectateurs. Il partit à grandes enjambées à sa suite. Affolée, Eliane courait à perdre haleine, serrant toujours sa raquette contre sa poitrine. Il réussit à la rattraper. En lui saisissant un bras, il souffla d'un air penaud :

— Vous m'excusez Eliane, dites-moi que vous m'excusez?

Elle garda un mutisme total et se mit à pleurer tout

en s'en voulant terriblement pour son comportement de petite fille effarouchée.

— Je ne sais pas... murmura-t-elle, bouleversée.

Il la ramena vers le vestiaire. La jeune fille, déconfite, s'enferma dans la cabine. Une blessure la déchirait. Sans qu'elle pût l'expliquer, elle se sentait meurtrie au plus profond d'elle-même. Les larmes coulaient le long de son visage. « Mais pourquoi a-t-il fait ça? » se dit-elle. C'était plus qu'elle ne pouvait supporter. Elle voyait tout en noir. « Je ne pourrai plus rester dans ce pays. » Tout en pleurant à chaudes larmes, elle s'assit par terre dans la cabine. Ne la voyant pas ressortir du vestiaire, au bout d'un moment John vint frapper à la porte.

— Eliane, implora-t-il, sortez, ne faites pas l'enfant! Cela fait une heure que vous êtes enfermée. Vous n'allez tout de même pas dormir ici!

Les supplications de John eurent raison de son entêtement. Elle se changea et ouvrit la porte.

Il la regarda avec sa bienveillance habituelle.

— Vous n'êtes pas fâchée, je m'en voudrais beaucoup si je vous ai fait de la peine.

— Ce n'est pas ça du tout. Mais moi qui vous prenais pour un homme du monde, je suis tellement déçue.

— Allons Eliane, c'est un accident. J'ai été emporté par un élan d'enthousiasme.

— C'est facile à dire, monsieur Middleton!

Il fut stupéfait de ce retour au protocole. Il pensa que les choses ne s'arrangeraient pas facilement. Aussi il se fit plus tendre :

— Vous n'êtes pas heureuse? Nous avons gagné. Maintenant nous allons en finale!

— Je me moque bien d'aller en finale. Vous irez seul. Ne comptez plus sur moi!

John resta muet pendant quelques instants. La jeune fille, les lèvres pincées, attendait.

Il reprit d'un ton conciliant :

— Vous ne voulez vraiment plus continuer le tournoi?

— Non, dit-elle sèchement. Je veux retourner au cottage prendre mes affaires et quitter ce pays!

Il se mit à réfléchir et répondit avec douceur :

— Je ferai comme vous voudrez. Nous allons rentrer à la maison.

Elle le suivit comme un chien suit son maître. Elle n'avait pas d'autre solution. Ils retournèrent à l'hôtel prendre leurs affaires.

Dépassée par les événements, la jeune fille restait silencieuse. Outrée par le comportement de John à son égard, elle était pourtant assez troublée, car ce baiser qu'il lui avait donné ne la laissait pas insensible. Elle refusait de l'admettre; son orgueil avait été touché de plein fouet. Sans nul doute, John avait laissé entrevoir l'attachement et l'attirance qu'il avait pour elle. « S'il m'aime, se dit-elle, pourquoi ne se déclare-t-il pas ouvertement? Il n'a qu'à avouer ses véritables sentiments. Je ne supporterai jamais que l'on me traite comme une fille écervelée. »

La Ford démarra. John mit le cap sur le cottage. Déjà le soleil descendait vers l'horizon et le ciel voilé de vapeurs roses et orange était éblouissant de beauté.

Eliane savait maintenant que sous cette latitude, le crépuscule étant de courte durée, la nuit ne tarderait pas à tomber. Elle avait hâte de se retrouver au cottage. Son esprit perturbé l'empêchait de prendre une quelconque décision. Bien sûr, les paroles qu'elle avait prononcées sur un mouvement d'humeur n'avaient aucun sens et elle le savait. Qu'allait-il se passer maintenant? La situation se compliquait. Comment vivre dans ce cottage avec un employeur qui la désirait et une gouvernante qui manifestement n'éprouvait à son égard que des sentiments hostiles? « Je vais écrire à mes parents, eux sauront mieux me conseiller sur ce que je dois faire. » Cette idée lui déplut aussitôt. « Pourquoi devrais-je pleurer dans leur giron dès que quelque chose ne va pas? En plus, ils s'inquiéteraient. Non, je ne leur dirai rien, c'est préférable. »

Aux commandes de la Ford, perdu dans ses pensées, John gardait un visage soucieux. Ce mois d'avril lui paraissait lugubre. Il pensa à Van Hutter. C'était un personnage réputé pour sa férocité en affaires et en plus il avait des accointances dans le milieu juridique. Le procès qu'il lui intentait risquait de tourner en sa faveur si maître Colby ne faisait pas son maximum. Il s'en voulait aussi de son attitude envers la jeune Française. Pourquoi s'était-il laissé aller à l'embrasser? Depuis son arrivée, elle l'avait charmé. Mais la position qu'il occupait en tant que père et maître de maison lui interdisait la moindre indélicatesse. Pourtant il n'avait pu résister, son désir avait été le plus fort. Cette jeune fille l'attirait comme un aimant. Il rêvait d'elle la nuit et c'était comme s'il l'avait attendue depuis toujours. Le deuil d'Esther l'empêchait d'avoir un comportement galant envers les personnes du sexe féminin. Jusqu'alors il avait su maîtriser sa fougue et son élan. Son élevage l'occupait suffisamment et il n'avait pas une minute à lui. « Cette Française me plaît. Mais comment le lui dire? Je l'ai embrassée, c'est vrai, mais ce fut un geste involontaire de ma part, malgré le désir que j'avais de le faire depuis Sydney. »

Il jeta un regard en coin à Eliane, qui, la tête baissée, semblait endormie.

— Vous n'avez pas froid? hasarda-t-il pour rompre le silence.

— Non merci.

Le ton de la jeune fille était neutre, sans aucune chaleur. Son visage inexpressif ressemblait à un masque de cire.

Enhardi par cette tiède réponse, il osa continuer:

— Nous approchons de l'hiver, les soirées sont plus fraîches.

Elle ne put s'empêcher de sourire en se disant que c'était sa température à elle qu'il essayait de prendre tout en parlant du temps! Dans son for intérieur, elle ne lui en voulait pas. Il l'attirait d'une manière irrésistible. Elle en était même terriblement amoureuse. Mais comment devait-elle s'y prendre pour le lui faire comprendre? S'il n'était pas veuf d'une femme aussi exceptionnelle qu'Esther, les choses seraient plus simples. Eliane aurait pu espérer une issue heureuse, un mariage par exemple! Or sa position vis-à-vis de John était délicate, puisqu'elle était son employée au même titre que l'ensemble du personnel du cottage.

La jeune fille comprit qu'elle était prise au piège. Etre obligée de vivre dans cette maison, sous le même toit que les autres, lui parut tout à coup gênant. Il n'y avait hélas pas d'autre solution. Elle allait vivre dans cet endroit où Esther était sans cesse présente. John serait chaque jour à ses côtés, mais l'atmosphère pesante qui régnait dans le cottage devenait insupportable. Elle eut l'impression d'errer dans un labyrinthe dont la seule issue aurait pu être son retour en France.

L'instant suivant elle réagit à cette idée. « Il faut que je sois forte, se dit-elle en serrant les dents. Je veux, je dois rester en Australie! Je n'ai pas fait un si long voyage contre la volonté de mes parents, pour abandonner maintenant. » Sa situation était, malgré tout, assez embarrassante et elle devait s'en accommoder. John avait su faire le premier pas en l'embrassant. D'une certaine manière elle en était heureuse, bien que tout se compliquât. Leurs rapports ne seraient plus comme avant. Elle n'avait pas prévu cette tournure des événements. En repensant au baiser qu'ils avaient échangé sous les yeux de milliers de spectateurs, elle frémit à nouveau. Etait-ce vraiment un premier pas?

Hasard? Simple attirance ou amour? se demanda-t-elle avec angoisse.

Voyant que sa passagère ne répondait pas John se replongea dans ses réflexions. « Je l'ai certainement heurtée et froissée dans son amour-propre. J'espère qu'elle ne prendra pas la décision de quitter le cottage. »

# *DEUXIÈME PARTIE*

# LE PROCÈS

# CHAPITRE V

DEPUIS qu'elle était revenue d'Hobart, Eliane trouvait le temps long. Toute hésitation au sujet de son départ de la Tasmanie avait été spontanément oublié lorsque Judith et Norma se jetèrent à son cou, dès son retour au cottage. Les petites filles l'embrassèrent avec tant de fougue et avec une joie si débordante qu'elle en oublia les paroles qu'elle avait lancées à leur père, poussée par une impulsion passagère. A la question formulée par Rosa sur la raison de l'interruption du tournoi, John avait prétexté d'un air vague que maître Colby voulait le voir d'urgence pour préparer sa défense.

En fait, l'avocat vint le lendemain. John s'enferma avec lui dans le petit salon en mettant au préalable un écriteau sur la porte : « Ne pas déranger. » A part les deux hommes, personne ne sut ce qu'ils se dirent.

Apparemment rien n'était modifié dans le déroulement quotidien de la vie dans la maison. A chaque repas, la conversation tournait autour des banalités usuelles. La compétition de tennis était manifestement effacée de la mémoire de chacun. John en avait vaguement parlé, mais sans s'y attarder. Chaque jour il prenait la Ford et partait avec Bob pour aller prendre des points de repères topographiques.

Eliane Judith et Norma quittèrent très tôt le cottage. La matinée était fraîche. C'était samedi et les deux petites filles n'allaient pas au collège. La jeune fille avait pris l'initiative d'emmener ses élèves en pleine campagne afin de leur apprendre les noms français des arbres et des fleurs. Chacune portait un sac à dos tyrolien dans lequel se trouvait le pique-nique pour la journée, des livres et de quoi écrire. Le soleil était au rendez-vous dans un ciel clair. Rosa avait tenu à donner ses conseils et ses ultimes recommandations à la jeune fille.

— Emportez des chandails! N'oubliez pas que les petites filles sont délicates et fragiles! Il ne faudrait pas qu'elles attrapent un rhume. La saison devient plus fraîche.

Eliane avait écouté avec attention et politesse. Le côté autoritaire de la gouvernante et la dureté permanente de son regard l'intimidaient. Cette femme semblait dominée par un sentiment de froideur. Peut-être était-ce la mort d'Esther qui l'avait rendue ainsi? Machinalement Eliane se souvint que John lui avait fait cette remarque.

La seule joie qui lui restait, c'était encore les petites filles. Elle se dit qu'après tout c'était pour elles qu'elle se trouvait en Australie. Cette pensée la réconforta.

Judith et Norma sautillaient sur le chemin de terre battue en esquissant le pas de l'oie. De temps en temps elles se retournaient et souriaient à leur professeur. La joie émanait de leur visage et il était plus qu'évident qu'elles étaient vraiment heureuses d'être avec Eliane.

Chemin faisant Eliane se rendit compte que des nuages menaçants assombrissaient le ciel. Malgré une légère inquiétude, elle décida de poursuivre la promenade à travers la forêt de pommiers dans laquelle elle avançait avec les deux petites filles. « Je vais reprendre le chemin de terre », se dit-elle.

— On dirait qu'il va pleuvoir, dit Norma, c'est bête, nous n'avons pas pris nos imperméables.

Eliane ne put s'empêcher de penser qu'en dépit de toutes ses recommandations, Rosa avait tout de même failli à son devoir puisqu'elle n'avait pas prévu qu'il pourrait pleuvoir. Le ciel s'alourdissait de nuages noirs gorgés d'eau. L'orage était imminent. Soudain une jeep surgit sur la piste, laissant derrière elle une nuée de poussière. Un vent d'une rare violence se mit à souffler. La voiture s'arrêta à la hauteur du petit groupe.

— Ah, c'est la Française! s'exclama le vieux Steeve. Montez vite, autrement vous allez être arrosées dans un instant!

Judith et Norma grimpèrent à toute vitesse sur la banquette arrière, alors qu'Eliane s'installait à gauche du conducteur. Celui-ci démarra aussitôt.

— Où nous emmenez-vous? demanda la jeune fille, intriguée.

— Ne vous faites pas de souci, nous allons nous mettre à l'abri, le temps que l'orage soit passé. Je vous ferai voir ma baraque et mes amis.

— C'est cet endroit où je vous ai vu l'autre fois?

— Exactement.

Au même moment les nuages crevèrent et une trombe d'eau se déversa du ciel. La jeep reçut une douche improvisée qui tombait avec fracas sur la tôle. Le conducteur ralentit le véhicule qui commençait à s'embourber dans la terre du chemin.

L'orage se déchaînait quand ils arrivèrent en vue des baraquements. Le vieux Steeve stoppa le véhicule et tous s'élancèrent en direction de l'abri. Ils entrèrent dans une maison en bois dont une grande verrière laissait entrer la clarté du jour. La pluie ruisselait contre le verre et, pareille à une musique cristalline, laissait entendre des sons mélodieux. La pièce centrale, servant de salle de séjour, présentait l'aspect insolite d'un petit zoo. Dans une cage en fer, un animal gris et noir, qu'Eliane prit d'abord pour une sorte de paresseux, se dandinait sur ses pattes de derrière. Près de la fenêtre un perroquet perché sur un trépied poussait de temps à autre une kyrielle de sifflements aigus. Une poule trônait sur un autre perchoir. De nombreux chats se prélassaient un peu partout. Eliane fut frappée de voir tant d'animaux réunis dans un même espace. Judith et Norma furent tout de suite attirées par l'animal apprivoisé qui gesticulait dans sa cage. D'une patte griffue il avait saisi la poignée de l'ouverture de sa cage et l'agitait dans un vacarme épouvantable.

— Pourquoi tape-t-il comme ça? demanda Judith s'approchant de l'animal, pendant que Norma s'intéressait au perroquet.

Le vieux Steeve répondit :

— Gluck me signale qu'il a faim.

— Ah! Il s'appelle Gluck?

— Oui et c'est un sacré farceur! Il aime bien qu'on s'occupe de lui.

Le vieux berger parlait tout en allumant un feu crépitant dans la cheminée.

— Débarrassez-vous de vos vêtements mouillés et mettez-les à sécher près de l'âtre.

Chacune enleva sa veste et la posa sur la banquette près du feu.

— Je vais faire du thé, cela vous réchauffera. Asseyez-vous sur le tapis de corde, vous y serez mieux.

— Les enfants, si nous mangions? demanda Eliane aux petites filles.

— Oui, nous voulons bien, car depuis ce matin nous n'avons rien pris, dit Judith, toujours affamée.

Elles ouvrirent leurs sacs et sortirent les victuailles. Assises en cercle, elles se restaurèrent silencieusement.

Le vieux Steeve mit de l'eau dans une bouilloire et la suspendit à la crémaillère.

— Nous voilà au sec, dit-il dans un grognement de satisfaction.

Il refusa le sandwich que la jeune Française lui offrait, extirpa une blague à tabac d'une de ses poches et s'appliqua à bourrer une pipe en porcelaine. Il s'assit lui aussi, à côté de ses invitées et, fixant Eliane, il questionna :

— Vous vous plaisez dans notre pays?

— Assez. Cela me change complètement de l'Europe.

— C'est comment là-bas? demanda Norma.

— C'est différent, il n'y a pas d'animaux aussi curieux que celui-ci, dit-elle en désignant Gluck. Au fait, c'est quoi comme animal?

— C'est un koala d'une espèce rarissime.

— Il est beau! s'exclama Judith, admirative.

— Ne t'approche pas! Parfois il devient coléreux, surtout quand il ne connaît pas les gens. Il pourrait sortir sa patte et te griffer.

La petite fille qui s'était levée se rassit aussitôt et fit des yeux ronds en observant le koala qui, apparemment, n'avait pas l'air méchant.

Le vieux Steeve servit le thé dans des bols en terre cuite.

— C'est brûlant! s'écria Norma.

— Ne sois pas si pressée de boire! grommela le vieil homme.

Norma et Judith avalèrent leur breuvage bouillant à la hâte, puis elles se mirent à courir après les chats. Tout en fumant sa pipe le vieux Steeve scruta Eliane d'un air rusé.

— Vous vous plaisez au cottage?

Elle baissa le regard vers le sol.

— Oui, j'ai été bien reçue.

— En tout cas depuis que vous êtes ici, monsieur Middleton n'est plus le même.

Le cœur de la jeune fille cessa de battre. Comme elle ne répondait pas, il reprit :

— Depuis la mort de sa femme, il était taciturne, morose même. L'autre jour quand je l'ai vu avec vous, c'était un autre homme! Ah! Cela m'a fait plaisir de le voir sourire.

Eliane se demanda pourquoi le vieux berger lui faisait ces confidences. Elle garda un silence obstiné et le vieux Steeve finit par se taire aussi.

Depuis un moment la pluie avait cessé. L'orage s'était enfui plus loin.

— Vous voyez, ça n'a pas duré trop longtemps, dit en souriant le vieux Steeve.

— Vous n'avez plus faim? demanda Eliane aux petites filles.

— Non. Dites, Eliane, on pourrait sortir maintenant? proposa Judith.

— D'accord, remettez vos vestes.

— Quand vous voudrez rentrer faites-moi signe, lança le vieux Steeve, je vous ramènerai au cottage.

Eliane et les petites filles sortirent de la baraque. Elles se dirigèrent vers les enclos où les moutons étaient parqués.

— Quelle odeur! dit Norma. Je ne pourrais pas respirer ça toute la journée.

— C'est drôle, quand ils sont dans la savane, ils ne sentent pas comme ça, renchérit Judith.

— Que voulez-vous! ils ont besoin de grand air, dit la jeune fille en s'efforçant de paraître gaie. Et elle ajouta : Si nous travaillions un peu notre français? Qu'en pensez-vous?

— Je voudrais que vous nous racontiez une histoire! dit Norma.

— Oh oui, ajouta Judith.

Eliane sortit de son sac un livre et, tout en marchant, elle leur fit un peu de lecture.

C'était l'histoire d'une petite fille qui vivait sur une

montagne et qui s'appelait Heidi. Judith et Norma furent enchantées de faire sa connaissance.

— Je vous l'ai lu en anglais pour que vous en compreniez le sens, maintenant vous devez l'apprendre en français. Asseyons-nous là, dit-elle en désignant un lot de caisses vides.

Elles prirent place.

— Maman nous racontait aussi de belles histoires, annonça Judith.

Sur l'instant Eliane fut émue. C'était la première fois qu'une des petites filles prononçait ce mot devant elle. Elle ne sut que répondre et fit semblant de ne pas avoir entendu. Elle pensa qu'elle aborderait ce sujet une autre fois.

Norma s'approcha tout près d'elle et lui prit la main. La douceur de la paume de la petite fille la fit tressaillir d'émotion. Eliane sentait que Norma avait beaucoup plus besoin de tendresse que sa sœur. Ce n'était pas parce qu'elle était la cadette mais plutôt parce que sa sensibilité était particulièrement développée.

La jeune fille donna sa leçon. Ensuite avec ses élèves elle revint vers les baraquements, marchant dans l'herbe mouillée aux effluves acides.

— Ah! Vous voilà, rumina le vieux Steeve dans sa barbe hirsute. Montez, nous partons tout de suite. Il faut arriver avant la nuit.

La voiture démarra en douceur sur le chemin inondé de flaques d'eau. Le ciel était d'un gris sombre, mais pour le moment tout risque d'un nouvel orage était écarté.

— Je suis contente que l'on vous ait rencontré, avoua Eliane en s'adressant au conducteur avec un charmant sourire. Sans vous nous serions trempées comme des serpillières! ajouta-t-elle en plaisantant.

— Nous approchons de l'hiver et les jours de pluie seront plus nombreux, précisa le vieux Steeve.

— En France aussi nous avons nos jours d'orage.

Judith et Norma feuilletaient le livre qu'Eliane leur avait lu et admiraient les illustrations. La jeep fonçait sur la route de terre battue qui, à cet endroit, était plus large. La nuit commençait à tomber, aussi le conducteur accéléra. Il voulait ramener le plus rapidement possible ses passagères à leur destination. Il se sentait un peu responsable de les avoir retardées en les invitant chez lui, même s'il leur avait évité la pluie. Il connaissait Rosa et son caractère dur et intransigeant. Elle ne manquerait pas de faire des remontrances à la Française. Aussi prit-il la décision de lui annoncer que tout était arrivé par sa faute.

Enfin la jeep franchit le portail en fer forgé et s'arrêta devant le perron du cottage. Deux lanternes murales éclairaient l'entrée. Aussitôt Stella leur ouvrit la porte.

— Nous étions inquiètes, Rosa et moi, à cause de l'orage, dit-elle. Entrez vite.

Judith et Norma se ruèrent dans le salon en sautillant de joie. Dès qu'elle aperçut le vieux Steeve, Rosa vociféra :

— C'est toi, vieux grigou, qui viens comme un cheveu sur la soupe! Je suis sûre que tu es pour quelque chose dans le retard des petites.

— C'est exact, je les ai cueillies sur le chemin juste avant l'orage et je les ai emmenées se mettre à l'abri dans mon repaire.

— Dans ton gourbi, tu veux dire, ou plutôt dans ta ménagerie! C'est bon, assieds-toi dans la cuisine. Véra va te servir de quoi étancher ta soif de vieil ivrogne!

L'air maussade, elle se tourna vers Eliane :

— Votre idée d'aller à la campagne en cette saison n'était pas une chose à faire. Vous auriez au moins dû penser à emporter des imperméables, comme une mère l'aurait fait! Si Esther était encore de ce monde, elle y aurait certainement pensé!

— Enfin, madame, ce matin le ciel était clair et je ne pouvais pas supposer qu'un orage s'abattrait sur nous au milieu de la journée.

— Maintenant vous le saurez. Dorénavant vous devrez le prévoir! Je reconnais malgré tout que vous avez l'excuse de ne pas connaître ce pays.

Eliane se dit que la gouvernante qui savait tout aurait pu y penser aussi. Pendant que Rosa parlait, les petites Middleton avaient regagné leur chambre car elles avaient eu peur de se faire gronder à leur tour. Ne les voyant plus, Rosa les appela :

— Descendez les filles, c'est l'heure de votre bain!

Eliane grimpa dans sa chambre et croisa les petites filles dans l'escalier qui se dépêchaient d'obéir à la gouvernante.

Une fois chez elle, elle prit une douche chaude et changea de vêtements. Pendant ce temps le vieux Steeve s'entretenait avec Véra devant un verre et une carafe de vin.

— Comme ça sent bon, qu'est-ce qui mijote dans la marmite?

— Ne vous en faites pas, vous aurez votre part comme tout le monde. Vous méritez bien ça, puisque vous les avez sauvées de l'orage.

Le vieux Steeve se mit à bourrer sa pipe et dit en jubilant :

— Je t'assure que je ferai honneur à ta tambouille.

Il ricana dans sa barbe, tout en regardant Mario qui entrait dans la pièce.

— Alors, Steeve? dit le majordome, quel vent vous amène? Vous avez toujours bon pied bon œil à ce que je vois!

Le vieux Steeve tira une bouffée de sa pipe et marmonna entre ses dents :

— Ce n'est pas demain la veille que vous enterrerez ma vieille carcasse; je suis encore solide!

— Ne vous fâchez pas, vieux bougre, vous savez bien que vous faites partie intégrante de la famille.

Rosa revenant de la salle de bains entra, accompagnée de Stella.

— Bon. Mettez la table, Stella. Monsieur Middleton ne rentre pas avant onze heures; son couvert n'est pas nécessaire.

La femme de chambre obéit aussitôt, aidée par Véra. La table fut bientôt dressée.

— Mario, allez chercher la Française et les filles.

Le dîner se passa dans une ambiance détendue grâce au vieux Steeve qui n'arrêtait pas de parler du bon vieux temps qu'il regrettait. Ensuite, il prit congé de tous et repartit vers les bergeries. Les petites Middleton regagnèrent leur chambre. Eliane alla leur dire bonsoir. Elles avaient déjà enfilé leur chemise de nuit. Le voile de coton rose allait à ravir à chacune d'elles.

— Bonne nuit, mes chéries, dit la jeune fille d'une voix tendre.

Elle les embrassa et éteignit le plafonnier laissant seulement une petite veilleuse.

Ensuite elle se réfugia dans sa chambre où elle entreprit d'écrire une longue lettre à ses parents. Au bout d'un moment, alors qu'elle était plongée dans sa missive, elle entendit un pas feutré dans le couloir, puis quelqu'un frappa discrètement à sa porte : « Qui peut donc venir à cette heure tardive? » se dit-elle. Une angoisse l'étreignit et ses nerfs se tendirent. Une appréhension instinctive l'avertissait qu'il allait se passer quelque chose d'anormal.

Malgré elle, poussée par la curiosité, elle alla droit vers la porte et l'ouvrit en grand. Quelle ne fut pas sa surprise de voir apparaître devant elle Mario, le majordome, tenant une bouteille de gin et deux verres. Délibérément il entra dans la pièce sans daigner lui demander la permission. Ne se rendant pas compte de la situation, Eliane referma la porte. Mario s'assit à la table où quelques minutes avant la jeune fille était en train d'écrire. Il jeta un coup d'œil à la lettre, mais ne comprenant pas le français, il ne put la déchiffrer.

Remise de sa surprise, elle demanda timidement :

— Quel est le motif de votre visite, Mario?

— J'ai pensé que cela vous ferait plaisir de trinquer avec moi. C'est mon anniversaire aujourd'hui, prétexta-t-il, et boire seul me chagrine encore plus.

Eliane ne savait pas quoi dire. Son sentiment généreux la faisait compatir à la solitude du jeune homme. Elle pensa confusément que son attitude n'était pas tout à fait correcte, mais comme il était employé dans la maison, elle se dit que cela ne porterait pas à conséquence.

— Vous boirez quand même tout seul car je ne bois jamais d'alcool.

Faisant la sourde oreille, Mario remplit les deux verres.

— Goûtez, c'est délicieux!

Il avala d'un trait un verre plein du liquide transparent.

La jeune fille, debout, le regardait, les yeux hagards.

— Mais vous allez vous enivrer si vous buvez comme ça!

— Ne vous en faites pas, demain c'est dimanche et je suis de repos. J'aurai toute la journée pour dormir.

Il la contempla de ses yeux de velours et lui adressa un sourire éclatant.

— Vous êtes très belle, Eliane. Comment se fait-il qu'une fille comme vous vienne s'enterrer dans ce bled?

— C'est mon affaire, balbutia-t-elle en rougissant.

Mario la déshabillait des yeux, tant son regard était pénétrant. La jeune fille se sentit mal à l'aise, elle ne savait que faire. De guerre lasse elle s'assit sur une chaise, devant sa coiffeuse. Mario se servit un second verre et lui tendit l'autre d'autorité.

— Buvez! ordonna-t-il d'une voix ferme, c'est la meilleure façon de chasser l'ennui.

Il se leva, alla vers la jeune fille, posa le verre sur la coiffeuse. Eliane regarda le breuvage. Pendant une fraction de seconde un désir fou de boire cette mixture la saisit. « Non! se dit-elle, ce ne serait pas raisonnable. »

Soudain le jeune homme se pencha sur elle et la saisissant par les épaules écrasa sa bouche sur la sienne. Elle résista de toutes ses forces, dans une lutte farouche et désespérée. A force de se débattre, sa jupe se releva, dévoilant ses longues jambes parfaitement galbées. Mario relâcha son étreinte et la regarda, les yeux remplis de désir.

— Vous me rendez fou, Eliane! susurra-t-il, haletant.

Elle en profita pour se lever d'un bond et, se précipitant vers la porte, elle réussit à l'ouvrir.

— Sortez! ordonna-t-elle dans un sursaut d'énergie.

L'air hébété, Mario restait figé en la regardant. Il secoua la tête de gauche à droite tout en regagnant la table. Il prit la bouteille de gin et son verre puis, à pas lents, il sortit de la pièce en grommelant comme pour lui-même.

— Dommage! Je croyais les Françaises plus hospitalières!

Eliane referma immédiatement la porte et tourna le verrou dans un geste nerveux. Elle s'appuya contre le battant et poussa une profonde expiration. Son cœur battait à une vitesse folle. Elle se laissa tomber sur son lit et pleura à chaudes larmes. Ses nerfs étaient à bout. « Pourquoi dois-je subir ces humiliations? » Le découragement la saisit. Elle se sentit profondément vexée. « Il m'insupporte d'être toujours prise pour un objet de désir. » Les larmes abondaient et sa vue se brouilla.

Alors que, comme chaque soir, elle faisait sa ronde, Rosa surprit Mario sortant de la chambre de la Française. Un sourire mauvais étira ses lèvres. Elle remercia la providence.

— Que faisiez-vous donc dans la chambre de mademoiselle Cordelier?

Le majordome, surpris de rencontrer la gouvernante à cette heure, tenant toujours la bouteille de gin et le verre, la regarda d'un air ironique :

— Ce soir, je fête mon anniversaire si vous voulez tout savoir!

— Je me rends compte que vous êtes ivre! C'est indigne de vous. Heureusement, monsieur Middleton n'est pas encore rentré. Allez vous coucher, ce sera mieux!

Mario ne se le fit pas dire deux fois. Il s'éloigna en vacillant.

Rosa le regarda partir et ne put s'empêcher de jubiler, à l'idée que le majordome avait rendu visite à la Française dans sa chambre en pleine nuit. Pour satisfaire sa curiosité elle frappa à la porte d'Eliane.

La jeune fille avait entendu la conversation qui s'était déroulée dans le couloir. Elle s'essuya les yeux puis ouvrit la porte.

— Bonsoir mademoiselle, dit sèchement Rosa. Puis-je savoir pour quelles raisons Mario se trouvait dans votre chambre?

Figée dans une attitude rigide, elle se tenait dans l'encadrement.

— Il tenait absolument à m'offrir un verre, que j'ai d'ailleurs refusé.

— Sachez, mademoiselle, que vous n'avez pas le droit de recevoir qui que ce soit dans votre chambre! Et encore moins un membre du personnel.

— Mais, Madame, je n'ai pas pu l'empêcher d'entrer. Dès que j'ai ouvert, il s'est rué à l'intérieur.

— A l'avenir, veillez à ce que cela ne se reproduise

plus. Pour cette fois, je ne dirai rien à monsieur Middleton. Je suis sûre qu'il n'aimerait pas apprendre cet incident. C'est une maison honnête ici, Mademoiselle!

La gouvernante avait appuyé sur les derniers mots avec une intonation chargée de sous-entendus. Elle continua sa ronde, laissant la jeune fille consternée. Celle-ci s'enferma dans sa chambre en se disant que ce n'était certainement pas pour elle que Rosa voulait taire les agissements de Mario. Elle tenait plutôt à le protéger.

Etendue sur son lit, Eliane médita sur sa situation dans la maison.

« Reprenons tout du début, se dit-elle, depuis le tournoi, John a adopté à mon égard une attitude distante, sinon glaciale. L'ayant remarqué, Rosa ne manque et ne manquera pas encore le moindre prétexte pour me faire des remontrances, et voilà maintenant que Mario me persécute de ses assiduités. C'en est trop! » Elle se sentit isolée et un abattement s'empara d'elle. « Je suis bonne pour une nuit blanche », pensa-t-elle. Elle ouvrit le tiroir de sa table de chevet, prit un tube de calmants et avala un comprimé. Elle avait hâte de se réfugier dans le sommeil. Le cœur lourd, la jeune fille se déshabilla pour la nuit et éteignit la lumière.

## CHAPITRE VI

LE lendemain, à l'heure du breafkast, en entrant dans la salle à manger, Eliane marqua un temps d'arrêt. John était attablé devant une tasse de thé fumant et lisait un journal.

— Bonjour, John, fit-elle en s'efforçant d'adopter un ton naturel.

Comme elle s'asseyait en face de lui, il lui rendit son salut d'une voix neutre en levant à peine la tête du journal qu'il était en train de parcourir. Elle eut malgré tout l'impression qu'il la regardait d'un air amical et qu'un sourire fugitif se dessinait sur ses lèvres. Ayant remarqué que la jeune fille l'appelait à nouveau par son prénom, il en fut réjoui. Cela faisait plusieurs jours qu'il ne la voyait plus au petit déjeuner. Il enchaîna, pendant qu'Eliane se servait du thé, comme s'il avait oublié ce qui s'était passé entre eux :

— Les nouvelles ne sont guère florissantes, Eliane, c'est demain le premier jour du procès avec Van Hutter. J'aurai besoin de votre concours.

Elle fut surprise par la douceur de sa voix et demanda, en essayant de maîtriser sa nervosité :

— Bien sûr John, si je peux vous être utile en quelque chose...

— Vous viendrez avec moi suivre le procès et

vous m'aiderez en prenant des notes au cours des séances. Vous voulez bien?

L'éventualité de suivre ce procès enchanta la jeune fille. Cela lui donnerait l'occasion de retourner à Hobart, loin de Rosa et de Mario.

— J'accepte avec joie! répondit-elle le visage soudainement illuminé.

Il s'en aperçut et émit un soupir de satisfaction. Le travail qu'il lui demandait n'étant pas dans ses attributions, il avait craint un instant qu'Eliane ne refusât sa proposition.

— J'ai pensé, continua-t-il, que parfois les journées doivent vous paraître longues au cottage, pourtant j'ai constaté que vous vous êtes bien adaptée ici.

Elle pensa spontanément que John était d'une naïveté enfantine. S'il avait été mis au courant de l'incident de la veille avec Mario son majordome, il n'aurait pas parlé ainsi. Heureusement comme elle l'avait promis, Rosa ne l'avait pas informé. Etait-ce une trêve? En pensant au baiser que lui avait infligé Mario, elle se sentit rougir. John se méprit sur l'expression de confusion de la jeune fille.

— Je m'aperçois que vous êtes toujours aussi émotive, plaisanta-t-il.

Un climat de détente s'installait entre eux. Il osa demander encore :

— Vous ne voulez plus nous quitter, n'est-ce pas?

Elle répondit d'une voix mal assurée :

— Non! J'ai dit cela sur un coup de tête.

— J'aurais eu beaucoup de peine à vous voir partir, je me suis habitué à votre présence dans la maison, affirma-t-il en lui lançant un charmant sourire.

Elle réussit à le lui rendre. Il avait prononcé ces mots avec tant de sincérité qu'elle en fut troublée. L'espace d'un instant leurs yeux se croisèrent. A nouveau Eliane sentit le fluide du regard de l'homme la submerger. Elle frissonna.

En même temps elle dut convenir malgré elle qu'en fait de présence dans la maison, c'était celle d'Esther qui s'imposait! Sans parler de la gouvernante...

Il y eut un silence, puis John murmura :

— Quand vous serez prête, tout à l'heure nous irons à l'église avec les enfants. Nous y allons tous les dimanches.

Mario entra dans la pièce en brandissant un grand plateau vide. Après les salutations d'usage, il s'appliqua à débarrasser la table d'un air absent. Eliane évita de le regarder. John ne s'aperçut pas du froid subit qui s'était établi entre le majordome et la jeune fille. Silencieux, Mario repartit avec son plateau chargé vers l'office.

Rosa descendit de l'étage accompagnée de Judith et de Norma. Elles portaient leurs robes du dimanche vert pastel et blanc. Leurs cheveux soigneusement brossés tombaient sur leurs épaules comme des nappes lisses et dorées. Aux pieds, elles avaient de jolies sandalettes vernies. Les chaussettes de petites écolières s'accordaient parfaitement à leur parure. Elles coururent vers leur père, toutes fières d'être si belles. John les embrassa ainsi que la jeune fille. Rosa impeccable dans son éternelle robe de soie noire, coiffée comme toujours d'un chignon serré, s'adressa à John, cérémonieusement :

— Bonjour monsieur Middleton; Judith et Norma sont enfin prêtes pour aller au temple.

En guise de bonjour, elle fit un signe de tête à Eliane. Son regard, sans mobilité, dégageait une morne froideur.

John complimenta la gouvernante :

— Je vous félicite, Rosa. Vous vous occupez bien des petites.

— Je suis là pour cela, monsieur Middleton, dit-elle du bout des lèvres.

La gouvernante entreprit aussitôt un exposé sur la domesticité. Elle parlait vite en utilisant des mots brefs et tranchants.

Stella la cuisinière et Mario restaient au cottage. Bob le chauffeur ne travaillait pas le dimanche.

Quelques minutes plus tard, Rosa, Véra, Eliane, John et ses filles grimpaient dans la Ford qui démarra aussitôt en direction d'Hobart.

La matinée était superbe, l'air frais et le ciel sans nuage. Un pâle soleil diffusait une lumière blanche. Dans la voiture, chacun paraissait détendu. Ce jour dominical semblait apporter une atmosphère de sérénité.

Tout en regardant le paysage qui défilait, Eliane pensait que les rapports entre elle et John iraient en s'améliorant. Elle finirait peut-être aussi par trouver un statu quo avec Rosa, du moins elle l'espérait. En ce qui concernait Mario, maintenant que Rosa l'avait surpris sortant de sa chambre, il la laisserait tranquille. C'est sur ces considérations optimistes qu'elle attaquait cette nouvelle journée.

La salle dans laquelle affluaient les fidèles était immense, aussi large que haute. De conception moderne, en forme de demi-sphère, elle possédait une acoustique parfaite qui amplifiait le chorus des chants et hymnes en hommage au Seigneur. Le temple était comble. En ce dernier dimanche d'avril les protestants étaient venus nombreux, et John avait eu l'heureuse idée de partir du cottage tôt dans la matinée.

Ils étaient donc tous arrivés de bonne heure et avaient pu se placer au deuxième rang, juste en face de la chaire du pasteur Wallace. Celui-ci, debout devant l'assemblée, avait entamé de sa belle voix de baryton un chant biblique que tout le monde reprenait avec dévotion. Le son mélodieux des voix s'élevait sous la voûte. Le moment arriva où le pasteur commença son prêche. Il avait choisi comme thème « la fraternité entre les hommes ». Il le développa habilement pendant une bonne demi-heure. Dès qu'il eut terminé, un dernier chant fut entonné, puis les gens sortirent du temple.

D'un discret coup de coude Rosa avertit John de la présence de Van Hutter parmi les fidèles. Effectivement au milieu d'eux, il aperçut son adversaire que la gouvernante lui indiqua du regard, et contre lequel il aurait à se battre dès le lendemain.

L'homme avait un physique de play-boy. Grand, mince avec des cheveux d'un noir de jais, le teint mat et des yeux sombres dont le regard exprimait une grande cruauté. Malgré cela, il se dégageait de toute sa personne un charme sensuel presque animal qui le rendait extrêmement séduisant. Il était habillé d'un costume de toile écrue, presque blanc, et d'une chemise vert d'eau dont l'éclat se réverbérait sur son visage anguleux. John l'observa de la place où il se trouvait et Van Hutter se sentant probablement le point de mire d'un regard se retourna instinctivement. Les yeux des deux hommes se croisèrent. Dans chaque visage l'expression figée dénotait une rivalité acharnée.

John et son groupe sortirent du temple à leur tour. Maître Colby, qui se trouvait également présent dans la cohue, s'approcha de son client aussitôt qu'il l'aperçut.

— Bonjour monsieur Middleton, vous voyez, moi aussi je suis venu prier le Seigneur afin qu'il nous assiste dans ce procès contre notre adversaire.

— Van Hutter est venu également demander son aide! dit John avec dédain.

— Je l'ai aperçu de loin, il vient juste de regagner sa voiture, ajouta l'avocat.

Près de Rosa, de Véra et des petites filles, Eliane se tenait à l'écart de la conversation des deux hommes. Tout en parlant à John, maître Colby s'approcha d'elles.

— Bonjour mesdames, dit-il avec une politesse de circonstance.

Elles lui rendirent son salut avec des sourires réservés.

— Vous savez que la séance de demain est à dix heures! précisa maître Colby s'adressant de nouveau à son client.

— Je serai à l'heure, vous pouvez compter sur moi, dit John, l'air plutôt soucieux.

Le visage de Van Hutter qu'il avait vu quelques minutes plus tôt l'obsédait. Ce qui l'avait surpris était le fait que cet homme ne ressemblait en rien au vieil ours qu'il s'était imaginé. Il semblait à peu près du même âge que lui et avait plus l'air d'un acteur de cinéma que d'un éleveur de chevaux!

Bien qu'il fût son voisin terrien, John ne le connaissait pas et il ne lui avait donc jamais parlé. Seule Esther allait le voir pour lui louer des pur-sang. Ne s'intéressant pas à ce genre de sport, John avait laissé toute liberté à sa femme pour pratiquer son activité favorite. Etait-ce elle, qui avait dépeint Van Hutter comme un être rébarbatif? Du moins, l'avait-elle laissé croire? Ou alors qui? Il s'efforça de chasser cette pensée de son esprit.

Maître Colby s'éloigna vers sa voiture après avoir pris congé. Le pasteur Wallace, qui sortait du temple, s'approcha du groupe à son tour.

— J'ai appris que l'on vous intentait un procès, monsieur Middleton, dit-il en serrant la main de John.

— C'est une curieuse affaire mon révérend. Je n'y comprends rien. J'espère que maître Colby, que vous connaissez pour ses plaidoiries sensationnelles, me tirera tout ça au clair.

— J'espère aussi que la justice agira avec équité, et je vous souhaite de gagner.

John prit Eliane par le bras et la présenta à l'homme d'Eglise :

— Nous avons maintenant une amie de plus en la personne d'une adorable Française qui est arrivée depuis peu en Tasmanie, mademoiselle Eliane Cordelier.

— Enchanté, mademoiselle! dit le pasteur Wallace, dans un français irréprochable.

La jeune fille n'en crut pas ses oreilles. Depuis qu'elle était arrivée dans ce pays, c'était la première fois qu'elle entendait quelqu'un parler dans sa langue maternelle. Elle gratifia le pasteur d'un large sourire et répondit d'une voix enjouée.

— Je suis charmée d'entendre aussi bien parler le langage de mon pays.

— J'ai commencé mes études de théologie à Paris et je les ai poursuivies en Angleterre. C'est ce qui explique ma connaissance du français. Puis-je vous demander de quelle région de France vous êtes?

— Je suis une fille du Midi, une simple provinciale. Je suis née à Cannes où mes parents habitent encore.

John expliqua :

— J'ai fait venir Eliane pour apprendre le français à mes filles; c'était le désir d'Esther.

— Je comprends, dit gravement le pasteur. Puis reprenant un air plus gai, il s'adressa une nouvelle fois à la jeune fille. Je suis enchanté de faire votre connaissance, mademoiselle Eliane. Je sens que vous avez toutes les qualités pour faire de ces petites filles des championnes de la langue de Molière.

Il s'adressa aux fillettes, tandis que Rosa et Véra bavardaient à l'écart :

— Alors, comment marchent les études?

— Nous avons déjà appris beaucoup de choses, dit Judith.

Norma, d'un air tout à fait sérieux, ajouta :

— Nous savons qu'il y a une petite fille qui vit sur une montagne avec son grand-père et un petit chevrier.

— Mais c'est charmant tout ça! dit en souriant le révérend.

John s'adressa à lui :

— N'oubliez pas que vous êtes notre invité aujourd'hui pour le repas dominical.

— Je ne l'ai pas oublié, monsieur Middleton. D'ailleurs j'ai pris mes dispositions en ce sens.

— Alors si vous le voulez bien, nous partons tout de suite pour le cottage.

— Je vous suis dans ma voiture.

John et son groupe prirent place dans la Ford qui emprunta le chemin du retour.

Ce qu'on appelait le palais de justice d'Hobart était en fait une bâtisse vétuste et bigarrée d'un style vaguement colonial et qui remplissait cette fonction à titre provisoire, en attendant que le vrai palais fût construit.

John, Eliane et Bob arrivèrent à neuf heures trente sur place. Au préalable, ils avaient déposé, comme chaque jour, les petites filles devant leur collège.

— A ce soir, dit John à son chauffeur en sortant de la Ford, suivi d'Eliane.

— Je suis sûr que tout ira bien, monsieur, répondit Bob avec une subite passion, lui qui d'habitude était assez réservé sur les affaires de son patron.

Il démarra, pendant que John et Eliane montaient l'escalier étroit menant à la porte principale. Ils arrivèrent dans le hall où de nombreuses personnes circulaient. John s'adressa au liftier :

— Pouvez-vous m'indiquer la salle des plaintes?

— Au fond du couloir à gauche, répondit l'employé.

John et Eliane s'y rendirent aussitôt. Il y avait peu de monde sur les bancs. John aperçut maître Colby qui, apparemment, présentait un visage serein et confiant. De loin il fit un signe à son client en esquissant un sourire prometteur et encourageant. Van Hutter était présent lui aussi, accompagné d'une femme dont la chevelure rousse et les yeux verts rappelaient étrangement Esther. Ce détail frappa immédiatement Eliane mais elle ne dit rien à son compagnon. Celui-ci, d'ailleurs, s'était déjà plongé dans un dossier qu'il avait apporté dans sa serviette de cuir noir. Eliane, munie de son bloc-notes et d'un stylo, attendait en silence tout en examinant avec soin les personnes qui se trouvaient là. Pour la circonstance elle s'était habillée sobrement, suivant ainsi les sempiternelles recommandations de Rosa, d'une robe couleur terre de Sienne avec un large col noir. John, par contre, était habillé en clair. Il portait un costume simple de coton cardé crème. Sa cravate bleue s'assortissait impeccablement avec sa chemise jaune paille.

Des chuchotements emplissaient la salle. Eliane regarda Van Hutter à la dérobée. Il était assis, impassible, en face de John et d'elle-même. Son visage énigmatique lui déplut bien qu'elle devinât en lui une séduction incontestable. Elle pensa qu'il devait avoir la trentaine et qu'il exerçait un charme certain sur les femmes. Celle qui lui parlait en ce moment était fort jolie et son tailleur ajusté vert foncé s'harmonisait au vert amande de ses yeux. Un homme de robe s'approcha de Van Hutter et lui parla à l'oreille. Pendant ce temps, d'autres gens entraient et s'entassaient sur les bancs. Le président du tribunal et deux juges suivis d'un greffier entrèrent. Le président agita une sonnette et la séance commença.

— Monsieur Van Hutter, venez à la barre! ordonna le président.

Van Hutter se leva.

— Monsieur Van Hutter, nous avons pris connaissance de votre plainte contre monsieur John Middleton, votre voisin terrien. Sur quelles affirmations vous appuyez-vous pour contester le fait que certains terrains lui appartiennent?

— Monsieur le président, ces lopins de terre appartenaient à mon grand-père depuis l'époque des *squatters*. Il en avait obtenu la concession.

— Monsieur le président, je demande la parole, intervint maître Colby.

— Je vous l'accorde, Maître.

— Comment monsieur Van Hutter peut-il invoquer ce droit? Chacun sait que, depuis ce temps-là, il y a eu prescription!

L'avocat de Van Hutter demanda la parole à son tour et le président la lui accorda.

— Monsieur le président, voici les preuves que mon client est en droit de réclamer ces lopins de terre.

Il s'avança et déposa d'un geste triomphal un volumineux dossier sur la table du tribunal. Le président feuilleta machinalement les liasses de papiers jaunis par le temps, puis, pensivement déclara :

— Nous remettons ce procès à huitaine pour étude de ce dossier. La séance est levée.

Les trois juges se levèrent et quittèrent la salle.

— Eh bien cela n'a pas été long! lança John à Eliane qui relisait ses notes.

Maître Colby vint près d'eux alors que le public évacuait la pièce, dans un indescriptible brouhaha.

— Ne vous en faites pas, monsieur Middleton, ce délai nous donne à nous aussi le temps de préparer notre défense.

— Je me demande ce que sont ces fameuses preuves que mon adversaire a données au tribunal? répliqua John agacé.

— Nous avons les titres de propriété en bonne et due

forme. Croyez-moi, nous ne risquons rien. Et puis, selon le cas, nous demanderons une expertise de la validité de ces documents. Si cela se trouve, ils sont purement et simplement une invention de Van Hutter.

— Il nous faudra le prouver, maître! rétorqua l'éleveur.

— Nous nous y emploierons avec toute notre science!

Ils sortirent de la salle des plaintes et se retrouvèrent dans le hall. Ensuite ils allèrent vers la cafeteria et s'assirent à une table. Un monde hétéroclite circulait dans tous les sens. Chaque avocat bavardait avec son client à voix basse. John, Eliane et maître Colby commandèrent du thé.

— Je crois que Van Hutter veut impressionner le tribunal avec ses soi-disant preuves! vociféra l'avocat, tout en mettant du sucre dans sa tasse.

— Je ne comprendrai jamais pourquoi il réclame ces terrains! clama John, entêté, son domaine est encore plus vaste que le mien.

— Plus on en a, plus on en veut! dit Eliane qui jusqu'alors n'avait pas osé se mêler à la conversation.

John la regarda avec une certaine indulgence et lui décocha un sourire amer.

— Il faut parfois se contenter de ce que nous donne la nature.

— Ce n'est pas une raison pour se faire voler notre bien, ajouta la jeune fille.

L'avocat se leva et prit congé en disant :

— J'ai une autre affaire à plaider dans un quart d'heure. A la semaine prochaine, monsieur Middleton. Au revoir.

John se leva et serra la main de maître Colby qui partit en direction du hall.

— Finissez votre thé, Eliane, nous rentrons à la maison.

— Mais c'est Bob qui a la voiture!

— Ah! c'est vrai, je n'y pensais plus. Cette histoire me tourne la tête, avoua-t-il.

Il la regarda d'un air reconnaissant et se rassit.

— Bon alors, nous ne sommes pas pressés.

— John, j'aimerais profiter de cette journée pour faire quelques achats puisque nous sommes en ville. Nous pourrions rentrer avec Norma et Judith à leur sortie du collège?

— D'accord, mais arriverez-vous à retrouver le collège?

— Bien sûr, John, j'ai pris quelques points de repère.

— Bon. Eh bien, rendez-vous à quatre heures devant l'école des petites.

— Entendu, John.

Ils quittèrent le palais de justice après avoir réglé les consommations.

Dehors la foule de midi envahissait les rues. Les Tasmaniens profitaient de la pause du déjeuner pour faire leurs courses. Dans le parc central, de nombreuses personnes assises sur des bancs et sur les pelouses, à l'ombre de grands arbres, mangeaient leurs sandwiches. La température était pourtant assez fraîche pour la saison. Le ciel pâlissait à mesure de l'approche de l'hiver. Un soleil chétif n'arriva à réchauffer l'amosphère que vers deux heures de l'après-midi. Pour l'instant, l'air était encore frais.

John et Eliane se séparèrent au coin de l'avenue Cook en échangeant un regard amical.

La jeune fille partit vers le centre commercial de la ville, à la recherche des boutiques qu'elle avait entrevues lors de sa dernière venue à Hobart, pour participer au tournoi de tennis. Elle s'enivrait de cette liberté que John lui avait accordée pour un court instant. Tout en gambadant sur le trottoir où les gens étonnés se retournaient, n'ayant jamais vu une jeune personne aussi gaie, elle se mit à penser à lui. Ce John Middleton lui plaisait au point que, il n'y avait pas de doute, elle en était amoureuse. Eliane sautillait tout en fredonnant une chanson dans sa langue maternelle. Soudain en regardant la vitrine d'un magasin, une affiche attira son attention. Le nom de Van Hutter y était inscrit en capitales. Elle lut le texte attentivement et contempla le dessin représentant des chevaux de courses et leurs jockeys. *Courses de chevaux pour gentlemen-riders et cavalières, organisées par le propriétaire-éleveur-entraîneur Van Hutter.* « Quelle surprise! se dit-elle, Van Hutter organise aussi des courses de chevaux! » Elle examina plus minutieusement l'affiche et apprit ainsi que la réunion aurait lieu le dimanche suivant. Elle nota aussitôt la date sur son agenda et continua son périple dans la ville. Après avoir fait quelques emplettes dans divers magasins bordés de maisonnettes aux toits de tuiles rouges, entourées de jardins où dominaient les acacias, elle entendit tout à coup une voix criant son nom :

— Mademoiselle Eliane, mademoiselle Eliane!

L'appel venait de l'autre côté de la rue. Eliane aperçut la Ford de John. Bob était au volant et, près de lui, il y avait une jeune femme. La jeune fille traversa et se dirigea vers la voiture.

— La séance est déjà terminée? s'étonna le chauffeur.

— Oui, elle n'a duré que vingt minutes.

Bob montra sa passagère et dit :

— Je vous présente Lénia, mon épouse.

— Enchantée, Madame, répondit Eliane en présentant un visage aimable à Lénia, qui lui rendit son sourire.

— Comment se fait-il que vous soyez seule en ville? s'enquit Bob.

— J'ai demandé l'autorisation à monsieur Middleton de faire quelques achats.

Bob regarda les paquets qui encombraient la jeune fille et proposa :

— Avez-vous déjeuné? sinon je vous invite chez nous.

— A vrai dire, je n'en ai pas encore eu le temps.

— Eh bien, montez! je vais vous faire connaître notre maison. Je vous préviens tout de suite, elle n'est pas aussi grande que le cottage.

Voyant avec quelle gentillesse Bob l'invitait, elle n'eut pas le cœur de refuser.

— J'accepte avec plaisir.

Eliane grimpa dans la voiture et s'installa à l'arrière. Bob embraya et prit le boulevard central. En ce lundi, les rues étaient encombrées d'une circulation intense. Le trajet fut de courte durée. Bob arrêta la Ford devant un pavillon en pierre de taille entouré d'un jardin. Une fois dans la maison, Eliane remarqua un intérieur coquet garni de meubles contemporains.

— Asseyez-vous, mademoiselle Eliane, dit gentiment Bob en présentant un fauteuil aux formes souples, en cuir clair, devant lequel se trouvait une table basse en verre.

La salle de séjour était éclairée par une grande verrière et les objets donnaient un relief plutôt gai au décor. Silencieuse et souriante, Lénia s'éclipsa dans la cuisine pour préparer le repas. Assise sur le canapé, Eliane regarda autour d'elle. Elle vit, accrochée au mur, une photo représentant Bob sur un cheval, au milieu d'autres cavaliers. « Je ne savais pas que Bob était jockey! » pensa-t-elle.

Le chauffeur alla vers un bar minuscule, prit une bouteille de sirop de bananes et trois verres.

— Vous boirez bien une goutte de ce délicieux breuvage?

Il remplit les trois verres et en proposa un à la jeune fille. Elle but une gorgée. La boisson la surprit par son goût suave et son parfum. A ce moment, Lénia entra dans la pièce et déclara que le déjeuner était prêt, puis en prenant le verre que son mari lui tendait elle dit encore :

— Cela va me mettre en appétit.

Elle regarda Eliane d'un air complice et avala le sirop. Eliane la détailla pendant qu'elle buvait. Blonde aux yeux bleus foncés, Lénia n'avait pas du tout le type grec. Sa robe en tissu imprimé bleu pastel soulignait la carnation claire de sa peau. « Elle n'a guère plus de vingt ans », pensa-t-elle.

Chacun termina son verre et se dirigea ensuite vers la cuisine où la table, dressée par la maîtresse de maison, attendait les convives. La pièce était claire et spacieuse, colorée par un papier peint orangé dont le motif principal représentait des grappes de raisin monochromes. Ils prirent place et commencèrent à se restaurer.

— J'ai remarqué la photo dans votre salon, dit Eliane en s'adressant à Bob, je ne savais pas que vous participiez à des courses de chevaux!

— J'adore ces animaux, et comme on le dit si souvent, je pense qu'ils sont la plus belle conquête de l'homme.

— Vous courez souvent?

— Hélas non. Pour cela il faudrait que j'aille à Sydney ou à Melbourne. En Tasmanie, il n'y a que des courses d'amateurs, et seulement quelques réunions annuelles.

— Comme celles organisées par Van Hutter? lança Eliane.

Bob la regarda l'air sérieux.

— Il n'y a que lui qui organise des réunions hippiques. C'est son intérêt, car il fait connaître ses nouveaux poulains et, ensuite, il les vend aux amateurs.

— Vous allez alors participer à la réunion de dimanche prochain?

— Je ne peux faire autrement, puisqu'il est le seul

à organiser des réunions, comme je vous l'ai déjà dit.

— Monsieur Middleton ne sera certainement pas content que vous participiez à celle-ci.

— Peut-être, mais en dehors de mon travail chez lui, ma vie personnelle m'appartient. D'ailleurs je pense qu'il ne m'en tiendra pas rigueur. Il sait que je m'engage chaque année dans ce genre d'épreuve. J'éviterai seulement de le lui rappeler, pour éviter de le froisser.

Lénia, qui jusqu'alors s'était tue, prit la parole :

— Et puis, ce procès que Van Hutter intente à ton patron ne te regarde pas, dit-elle avec un air sombre.

Eliane continua :

— Il y a longtemps que vous montez?

— Depuis trois ans.

Soudain la jeune fille eut le désir d'en apprendre davantage. Prise d'une audace soudaine, elle questionna :

— Madame Esther Middleton participait-elle aussi, à ces réunions hippiques?

— Oui, mais pour des courses réservées seulement aux cavalières. C'était une femme exceptionnelle. Elle gagnait souvent. Il faut dire qu'elle était avantagée.

— Ah oui, et pourquoi? dit nerveusement la jeune fille.

— Elle montait toujours des bêtes de première classe, des pur-sang. Tandis que les autres concurrents n'avaient que des demi-sang. L'origine d'un étalon est d'une importance capitale. La façon dont il est entraîné, également.

— Et vous, qu'avez-vous comme cheval?

— Oh moi, ce n'est pas un pur-sang, je n'ai pas les moyens de m'en acheter un. C'est une espèce de bâtard qui a des qualités exceptionnelles. Il a des pointes de vitesse qui me permettent de gagner souvent, malgré ses origines baroques!

Lénia surenchérit, en regardant son mari :

— Tu as déjà gagné deux fois la coupe deux années de suite!

— C'est formidable! s'enthousiasma la jeune fille.

Bob prit un air faussement humble en ajoutant :

— Le mérite ne me revient pas totalement. Je vais vous expliquer : au cours de chaque compétition, Hastus, c'est le nom de mon cheval, galope comme un fou. Non pour gagner la course, mais pour rattraper une jument qu'il affectionne particulièrement. Or il se trouve que Gémina, la jument en question, est une championne. En général dès le départ, je me trouve dans le milieu du peloton et après je n'ai presque plus rien à faire, si ce n'est maintenir Hastus le long de la corde. Je n'ai même pas besoin de lui donner un coup de cravache pour le faire avancer, il s'envole. Il se place de lui-même derrière Gémina et la suit. Je le guide du mieux que je peux pour garder un axe qui lui évite de perdre du terrain. Gémina, qui est une jument d'une origine qui a fait ses preuves, mène le train; seulement elle s'épuise et son jockey a beau essayer de la contenir elle fonce en avant. A cent mètres du poteau d'arrivée, elle n'a presque plus de ressources et elle donne des signes de fatigue. Elle s'essouffle. Son jockey essaie alors de la solliciter, mais c'est trop tard. C'est ainsi qu'Hastus arrive enfin à sa hauteur suivi par les autres concurrents essayant aussi d'être les premiers à passer le poteau d'arrivée. A ce moment précis je donne une petite tape à mon bâtard d'Hastus et alors, dans un sursaut inespéré, il parvient à battre tout le monde et franchit la ligne d'arrivée en vainqueur!

— C'est inouï! Vous avez là un animal étrange, dit Eliane admirative.

— C'est cela l'Hastus!

Tout le monde éclata de rire.

— Tu ne savais pas en l'achetant que ce serait

un phénomène pareil! dit Lénia en essuyant ses yeux tant elle avait ri de l'histoire de son mari.

— Oui, en fait j'ai fait une excellente affaire, je n'en reviens encore pas. Personne ne voulait de cette bête. Moi je l'ai achetée, d'abord parce que j'aime les chevaux et ensuite parce qu'ici nous avons un terrain sur lequel ils peuvent courir.

— Mais vous avez trouvé un champion finalement! plaisanta Eliane.

Le déjeuner se terminait. Lénia se leva et commença à débarrasser la table.

— Aimeriez-vous voir Hastus? demanda Bob, l'air fier.

— Et comment! Je veux absolument connaître ce phénomène!

En effet, Eliane était curieuse de voir de près cet animal qui, aux dires de son maître, pouvait aller à l'encontre de toute logique. Elle suivit Bob. Et ils débouchèrent dans le jardin derrière le pavillon. Une immense pelouse méticuleusement entretenue offrait un espace vert émeraude dans lequel trottait un étalon noir, la crinière en bataille. Bob et la jeune fille entrèrent dans l'enclos. La bête fonça sur eux, comme le font parfois les taureaux dans l'arène. En voyant venir l'animal dans sa direction, Eliane eut un mouvement de recul.

— N'ayez pas peur, mademoiselle! Il est très gentil.

Hastus s'arrêta net à leur hauteur. Le jeune homme lui flatta l'encolure et le cheval émit un hennissement de contentement.

— Vous voyez, il est sympathique!

Eliane n'était pas tranquille, mais elle essaya de ne pas montrer son appréhension devant l'animal dont la puissante stature l'impressionnait. Il repartit en galopant à l'autre bout de l'enclos.

— Vous pouvez constater, mademoiselle, qu'il est très doux.

— Je n'ai pas l'habitude de voir des chevaux de si

près. Ne m'en veuillez pas, mais je ne me sens pas tout à fait rassurée.

Bob se mit à rire avec un sentiment d'indulgence et reprit :

— Vous n'avez rien à craindre, Hastus est du genre affectueux. Bien plus que certains humains, n'est-ce pas?

Aussitôt elle se demanda à qui il faisait allusion.

— De qui voulez-vous parler?

— Je pense que, comme moi, vous avez pu constater qu'il y a certaines personnes au cottage que vous connaissez maintenant quelque peu, et qui sont loin d'avoir la douceur de cet animal.

— Je crois que vous exagérez Bob! dit-elle en souriant.

— N'en croyez rien; j'en parle en connaissance de cause.

Evitant de révéler le fond de sa pensée, Eliane resta sur ses gardes.

— Pour l'instant je n'ai pas à me plaindre de quiconque.

Il poursuivit :

— Vous ne trouvez pas que Rosa est un peu trop autoritaire?

La jeune fille abondait dans ce sens, mais malgré tout, elle ne voulait pas accabler la gouvernante. Elle n'était pas convaincue de la discrétion du chauffeur.

— Il n'y a pas assez de temps que je suis au cottage pour pouvoir émettre une opinion sur les gens qui s'y trouvent.

— Vous aurez l'occasion de les connaître! fit-il d'un air impénétrable.

La jeune fille pensa que Bob avait sans doute raison, mais ne voulant pas s'appesantir sur ce thème, elle préféra changer de sujet.

— Votre cheval me plaît énormément. Pourrais-je le monter un jour?

— Je crois que la chose est possible. Néanmoins il faudrait le connaître davantage en lui rendant visite souvent. Il a un côté assez sauvage avec les gens qu'il ne connaît pas.

Pendant ce temps, Hastus faisait le tour de l'enclos et semblait parfaitement à son aise.

— Je crois qu'il va bientôt être l'heure d'aller chercher les petites filles de monsieur Middleton au collège, annonça Bob tout en prenant l'initiative de regagner la terrasse où sa femme les attendait.

Pensive, Eliane le suivit.

— Ma chérie, dit Bob en regardant Lénia, nous partons pour le collège. Mon patron y sera aussi, il ne faut pas que je le fasse attendre.

Il se pencha vers elle et lui donna un baiser affectueux. La jeune fille s'éloigna discrètement pour laisser un peu d'intimité au couple.

— Au revoir mademoiselle Eliane, lança gentiment la jeune femme.

— Je vous remercie de votre accueil, madame.

Bob et la jeune fille montèrent dans la Ford.

A quatre heures pile, la voiture stoppa devant un immeuble en pierre de taille. La rue était déjà envahie de jeunes garçons et de filles du même âge.

— C'est un collège mixte à ce que je vois, déclara Eliane tout en cherchant des yeux les petites Middleton.

— C'est beaucoup mieux ainsi, je pense, répondit le chauffeur en fouillant d'un œil scrutateur la foule des enfants qui sortait du collège.

— Je ne vois pas les petites, ni monsieur Middleton.

Au même instant John sortit d'une porte de l'établissement avec ses filles. Chacune lui donnait la main, fière d'être avec leur père. Dès qu'elles virent Eliane dans la voiture, elles lâchèrent la main de John et se précipitèrent vers elle.

— Bonsoir, Eliane, s'écria Judith en grimpant dans le véhicule suivie de sa sœur.

Toutes les deux serrèrent la jeune fille de leurs petits bras et l'embrassèrent avec fougue. John arriva enfin.

— Alors, Eliane, avez-vous pu faire vos emplettes sans problème? demanda-t-il en la regardant d'un air rieur.

— Tout s'est passé de façon parfaite, je vous remercie, et en plus j'ai eu la chance de rencontrer Bob dans le centre ville.

— Rentrons vite au cottage maintenant, dit-il en prenant place à côté de Bob.

Ils mirent un bon moment à sortir de la ville tant la circulation était dense à cette heure-là. Eliane était perdue dans ses pensées. Les paroles que Bob avaient prononcées sur Esther l'obsédaient. « Une femme exceptionnelle », avait-il dit. Décidément tout le monde la mettait sur un piédestal. Elle avait dû être adorée de tous, et probablement encore plus par son époux. Du reste, sans doute, elle le méritait. John se retourna et sourit à la jeune fille avec une infinie tendresse. Elle en fut troublée. Norma et Judith, chacune à ses côtés, s'appuyaient contre ses épaules.

— Je vois que vous vous entendez drôlement bien avec mes filles, dit-il, paraissant tout à fait enchanté du spectacle qui s'offrait à sa vue.

Elle lui décocha un regard plein de mansuétude. Leurs sourires se croisèrent. Les yeux pénétrants de l'homme la bouleversèrent au point qu'elle ne put prononcer un seul mot de la phrase qui était sur ses lèvres.

— Vous êtes ravissantes toutes les trois!

Eliane rougit légèrement. Elle baissa la tête pour cacher son émoi, alors que les petites filles, tout heureuses souriaient à leur papa. Celui-ci se remit à regarder la route qui défilait devant lui. Elle était bordée de sycomores et d'orangers dont les feuilles polies luisaient au soleil crépusculaire.

La jeune fille sentit une langueur l'envahir. Elle ne pouvait lutter contre ce phénomène magique, cette force magnétique qui la subjuguait chaque fois que John était présent. De sa part, la réciprocité des sentiments était évidente, John n'arrivait pas à le cacher.

Depuis le matin de cette journée, Eliane avait senti qu'il la regardait avec un nouveau visage. Il était redevenu cordial. Sa froideur des jours précédents avait fait place à une telle chaleur dans l'expression de ses traits quand il lui adressait la parole, qu'elle en était bouleversée.

Lorsqu'il l'avait embrassée à l'occasion du tournoi, c'était surtout son amour-propre qui avait été touché. N'étant pas rancunière, elle avait effacé de sa mémoire ce geste maladroit. Ce fameux baiser était d'ailleurs la preuve formelle de l'attrait que John exerçait sur elle. Sa réaction violente contre ce baiser ne provenait-elle pas du fait qu'elle n'avait su prendre une attitude en face de lui? Aujourd'hui avec le recul du temps, elle pensait que John lui avait révélé ses véritables sentiments.

Depuis son arrivée à Sydney, le contact, qui d'emblée s'était installé entre eux, avait été significatif. Que lui réservait maintenant l'avenir? Esther était toujours présente dans l'esprit de tous. Même Bob n'avait pas tari d'éloges à son sujet.

Plongée dans ses réflexions, Eliane observait en même temps la magnifique blondeur des cheveux de l'homme assis sur le siège avant. Il y avait en lui et autour de toute sa personne une sorte de rayonnement. « Je suis amoureuse, se dit-elle, c'est formidable et désespérant à la fois. » C'était probablement la raison inconsciente qui l'avait empêchée de quitter le cottage. Bien sûr, elle avait prétexté qu'elle restait à cause de Norma et de Judith, en fait, elle s'était menti à elle-même. C'était sûr. « Au fond je suis heureuse, mais John finira-t-il un jour par se déclarer? » Son instinct lui disait qu'il n'osait pas encore, étant toujours hanté par le souvenir de sa défunte femme. Seul le temps pourrait la lui faire oublier; pourtant ce n'était pas une certitude.

Eliane avait observé que lorsque John lui avait parlé d'Esther, il l'avait fait avec compassion, sans grand enthousiasme ni exaltation, avec une certaine nonchalance même. Sur le moment, elle ne l'avait pas remarqué; ce n'était qu'un peu plus tard en se remémorant la conversation que cette impression lui était apparue.

Enfin la voiture franchit le portail en fer forgé. Peu après, ils étaient tous dans le salon. Rosa les accueillit.

— Alors, Monsieur, comment s'est passée cette audience?

— Assez brève! Tout est remis à la semaine prochaine.

— Ah! Et pourquoi?

John expliqua à la gouvernante le déroulement de la séance. Pendant ce temps, Stella emmenait les petites filles à l'office pour leur donner leur goûter.

Pensive, Eliane emprunta l'escalier. Quelque chose dans l'attitude de la gouvernante l'intriguait. « Aujourd'hui, elle a l'air plus amicale que d'habitude », pensa-t-elle. Son regard lui avait paru moins dur qu'à l'ordinaire ou alors c'était une impression fausse. La jeune fille croisa Mario qui descendait l'escalier. Il s'arrêta à sa hauteur.

— Mademoiselle Eliane, dit-il avec respect, et aussi une certaine gêne tout en évitant son regard, je tiens à vous présenter mes excuses pour mon comportement de samedi soir. J'avais trop bu et je n'en ai pas l'habitude...

Elle lui coupa la parole :

— Je les accepte pour cette fois, mais ne recommencez pas, ne recommencez jamais plus!

Eliane avait souligné les mots de cette fin de phrase.

Le majordome parut soulagé de la compréhension de la jeune fille et lui envoya un sourire rempli de reconnaissance.

— Je vous remercie mademoiselle.

Il dégringola les marches, tandis qu'Eliane entrait dans sa chambre, satisfaite du repentir de Mario. « Peut-être que tout finira par s'arranger et que la vie sera de nouveau possible dans cette maison! » soupira-t-elle en ouvrant la fenêtre. Elle regarda la pelouse et son parterre de dahlias blancs et grenats. « Au fond, je me plais ici! » Comme l'avait souligné John, elle s'adaptait à l'endroit. Et si, en plus, la détente s'instaurait entre les occupants du cottage, elle pourrait mieux supporter d'y vivre.

Eliane prit le nécessaire pour donner son cours aux petites filles et se donna un léger coup de peigne avant de regagner le rez-de-chaussée.

John était assis seul dans le salon. Il était silencieux. Les membres du personnel étaient dans leurs chambres respectives. Le silence régnait dans le cottage. C'était, pour le maître de maison, le seul moment de la journée où il pouvait réfléchir à tête reposée et en toute quiétude. Cette affaire Van Hutter le tracassait au plus haut point. Comment allait-il faire face aux manigances de cet homme sans scrupules?

Quand Esther était là, il pouvait se fier à elle pour toutes les opérations administratives et financières. Elle avait le don des affaires et s'occupait de tout. Maintenant elle lui manquait terriblement. Surtout en ce moment, où il aurait eu tant besoin de ses directives, de ses conseils. Il était sûr qu'elle aurait su déjouer les plans de son adversaire.

Heureusement maître Colby s'était saisi de l'affaire et sa compétence en matière de droit était connue de tous. Lui aussi aimait beaucoup Esther. Le fait d'avoir fait les mêmes études juridiques les avait rapprochés. Esther n'avait jamais enseigné. Elle n'avait pas besoin de gagner sa vie. Riche héritière, elle pouvait vivre aisément de sa fortune.

John l'avait épousée sans trop s'en rendre compte. En fait, c'était plutôt elle qui l'avait demandé en mariage! Il l'avait rencontrée un jour, à l'occasion d'une réception qui clôturait un tournoi de tennis et où il avait brillamment gagné la coupe. Esther s'était approchée de lui et lui avait parlé :

— N'êtes-vous pas John Middleton, le célèbre tennisman?

John avait été assez étonné de l'abord de cette ravissante jeune fille aux yeux verts et à la splendide chevelure rousse. Un peu intimidé, il lui avait répondu :

— Oui Mademoiselle, mais qui êtes-vous?

— Esther Smith.

C'était donc elle, la richissime héritière dont les journaux avaient parlé. Son père lui avait tout légué à sa mort. Comme elle était fille unique, elle se trouvait à la tête d'une fortune considérable. John, par contre, avait des parents modestes, mais il s'était fait une petite place dans le monde du tennis.

— Pourriez-vous me donner des cours? avait-elle demandé en le gratifiant d'un sourire dévastateur.

Il n'avait su refuser à la demande d'Esther et avait répondu :

— Avec plaisir mademoiselle Smith.

Ce fut à cette époque que l'on vit souvent ensemble John Middleton et Esther Smith. Les langues ne tardèrent pas à se délier, les gens se mirent à jaser, les journaux en parlèrent.

Finalement c'était Esther qui avait pris l'initiative de leur mariage. John s'était laissé faire. Avec sa gentillesse habituelle, il n'avait pas pu refuser une telle proposition, pas seulement à cause de la fortune que possédait Esther Smith, car pour couronner le tout, elle lui plaisait.

Sur la propriété d'Esther, ils firent construire le cottage. La naissance de Judith, puis celle de Norma avaient consolidé leurs liens. Or malgré tout, Esther demeurait insaisissable. Elle n'était pas faite pour la vie de famille.

Depuis sa mort, John était d'humeur maussade mais il ne le montrait pas. Aussi quand il avait aperçu la jeune Française à l'aéroport de Sydney, ce fut pour lui l'éblouissement. Elle représentait une espérance de vie, un rayon de soleil dans son quotidien et sa routine. Le déroulement des jours était morne, bien qu'il eût des occupations diverses avec son élevage et son club de tennis.

Ses filles lui donnaient une joie immense mais il constatait que leur mère leur manquait terriblement et qu'elles étaient frustrées du sentiment maternel. Ayant vu qu'Eliane apportait une si grande affection à Judith et à Norma, il se sentait rasséréné et profondément touché. Cette jeune fille lui plaisait. Son charme et sa fraîcheur lui inspiraient un désir sensuel et un amour qu'il ne pouvait encore montrer à cause de son deuil récent. « Il faut laisser passer le temps », se dit-il.

Il n'avait pu résister à embrasser Eliane. Cela s'était passé malgré lui, dans un élan qu'il n'avait pu réfréner. Après, il avait eu peur qu'elle ne quitte le cottage. Aussi avait-il fait machine arrière en reprenant ses distances vis-à-vis d'elle.

Aujourd'hui, il avait senti chez elle comme une grande gentillesse, comme si elle lui avait pardonné son geste incontrôlé. Pourtant il était convaincu que cette jeune fille avait à son égard autre chose qu'une simple sympathie. Il comprenait parfaitement que la situation dans la maison, avec Rosa et les autres membres du personnel, ne devait pas être de tout repos pour elle. Si lui aussi s'en mêlait, évidemment c'en était trop! Le fait de l'avoir emmenée à Hobart assister à l'audience avait paru lui plaire. « Moi aussi, sa présence m'a réconforté », constata-t-il, surpris.

Il laissa le journal sur la table et décida de gagner sa chambre pour y prendre un repos bien mérité.

# CHAPITRE VII

LORSQUE Eliane traversa le couloir de l'étage, il était trois heures de l'après-midi. Sa curiosité fut éveillée en voyant que la porte de la chambre d'Esther était restée entrouverte. La jeune fille ne put résister au désir de regarder à l'intérieur. Elle entra dans la pièce baignée de pénombre. Seule la petite flamme d'une mèche brûlant dans de l'huile donnait une légère lueur. Soudain elle sursauta en étouffant un cri. Il lui sembla voir une apparition. Près d'un fauteuil se découpait la silhouette sombre d'une femme, comme dans un rêve. Eliane observa que cette personne était rousse aux yeux verts. Elle portait le même corsage qu'Esther avait sur une des photos du salon. La jeune fille frissonna. Elle eut l'impression de faire un cauchemar et s'approcha malgré elle, comme attirée par une puissance surnaturelle. Ses yeux s'étant habitués à l'obscurité relative, elle comprit brusquement que ce qu'elle avait pris pour une apparition, n'était qu'un mannequin de cire.

Eliane émit un long soupir de soulagement. Agitée malgré tout par une nervosité grandissante, elle sortit de la chambre au moment où Rosa arrivait à vive allure.

— Qu'êtes vous allée faire dans la chambre d'Esther? dit-elle d'une voix criarde.

La jeune fille pensa : « Voilà que ça recommence! La trêve est finie. »

Rosa reprit, vociférant de plus belle :

— Est-ce votre habitude de fourrer votre nez partout? D'entrer dans les chambres ou d'y faire entrer les gens!

Ne sachant plus quoi répondre à la colère de la gouvernante, Eliane se confondit en excuses en balbutiant :

— La porte était ouverte, j'ai voulu seulement regarder...

Rosa l'interrompit :

— Vous n'avez absolument rien à faire dans ce lieu. La chambre d'Esther ne doit pas être souillée par une étrangère!

Se trouvant au bas de l'escalier John entendit les éclats de voix, grimpa les marches quatre à quatre et se trouva près des deux femmes.

— Que se passe-t-il ici? demanda-t-il en regardant Rosa.

Celle-ci emportée par sa colère cria :

— Mademoiselle Cordelier outrepasse ses droits et n'en fait qu'à sa tête. L'autre jour, elle a accueilli Mario dans sa chambre et voilà maintenant qu'elle entre dans celle d'Esther!

« Quelle méchante femme! pensa la jeune fille. Elle avait pourtant promis de n'en rien dire à John. »

Il regarda les deux femmes d'un air perplexe et resta silencieux.

Rosa était dans tous ses états tandis qu'Eliane gênée baissait la tête d'un air coupable.

John finit par formuler d'une voix neutre :

— Ce n'est pas bien grave Rosa, reprenez votre calme. N'oubliez pas que vous êtes cardiaque!

S'adressant ensuite à Eliane il lui demanda avec insistance :

— Qu'est-ce que c'est que cette histoire de Mario dans votre chambre?

Honteuse comme une petite fille prise en faute, Eliane réussit à expliquer :

— Mario est venu frapper à ma porte pour m'offrir un verre, car samedi c'était son anniversaire. Il s'ennuyait et ne voulait pas boire seul. Il est entré délibérément sans que je puisse intervenir pour l'en empêcher.

— Décidément, dans cette maison vous allez tous me rendre fou! dit-il l'air agacé par ce qu'il venait d'apprendre.

Il lança un regard sombre à la gouvernante et s'exclama :

— Allez tout de suite me chercher Mario!

Il regarda Eliane pendant que Rosa descendait à l'office.

— Est-ce que Mario a commis une impolitesse ou une maladresse à votre égard?

Evitant d'envenimer la situation et tenant compte des excuses du majordome, reprenant son sang-froid, elle dit avec fermeté :

— Mario m'a présenté ses excuses et je lui ai pardonné son audace.

— Je comprends, fit John songeur.

Sur ces entrefaites, Mario arriva l'air légèrement embarrassé.

John le toisa de toute sa hauteur et déclara d'un ton glacial :

— Mario, vous savez qu'il ne faut pas importuner mademoiselle Cordelier. Si vous voulez parfois vous distraire, vous n'avez qu'à aller en ville. Le personnel ne doit pas entrer dans les chambres des autres employés. Pour cette fois, je passe l'éponge mais je compte sur vous pour que cela ne se reproduise plus.

— Entendu, monsieur Middleton, dit d'une voix contrite le majordome, en baissant les paupières.

— Venez, Eliane, descendons dans le jardin! ajouta le maître de maison.

En descendant les marches de l'escalier, Eliane se

sentait penaude. « Qu'est-ce que John peut penser de mon comportement? Il doit se dire que je ne suis pas sérieuse! Et Rosa qui n'a pas su se taire dans son débordement colérique! C'était à prévoir. »

— Vous comprenez maintenant mon inquiétude, dit John en pesant ses mots, ici notre problème à tous, c'est l'ennui.

La jeune fille se taisait. Pourtant elle aurait voulu dire que cet endroit ne favorisait pas l'ennui plus qu'un autre. Il continua :

— Je connais le caractère exécrable de ma gouvernante, mais elle est tellement attachée à cette maison, comme elle l'a été à Esther, alors je suis obligé de tenir compte de ses considérations, bien que je ne sois pas toujours d'accord avec elle.

Il la regarda d'un air bienveillant.

— Nous retournerons à Hobart et, veuillez m'en croire, là-bas, nous aurons du pain sur la planche. Cela nous fera oublier un peu cette matrone!

Ils arrivèrent dans le jardin où Stella étendait du linge sur un fil.

— Apportez-nous le thé quand vous aurez terminé avec ça.

— Entendu, Monsieur, dit la bonne.

Ils s'assirent à l'une des tables en fonte blanche.

— Essayez de pardonner à ma gouvernante son humeur atroce; elle finira par se calmer. On dirait que ce procès énerve tout le monde!

— Pas moi, John, il m'attriste plutôt, finit par dire la jeune fille.

La bonne apporta un plateau et le posa devant eux.

— Voilà qui va nous détendre quelque peu, dit-il en regardant la théière avec un sourire sur les lèvres.

Le lendemain, au Palais de justice, la salle des plaintes était comble. Le tribunal ayant pris place, la séance commença. Le silence se fit, rompu par le président qui déclara :

— Après lecture du dossier déposé par M. Van Hutter, la cour attend la plaidoirie de la partie adverse. Maître Colby, vous avez la parole.

L'avocat se leva et d'un pas théâtral s'avança au centre de la pièce.

— Messieurs, j'ai également consulté avec minutie les titres de propriété dont les doubles furent remis au tribunal; j'en ai fait faire une expertise et il est incontestable que la propriété a bien été achetée dans les règles par mademoiselle Esther Smith avant son mariage avec monsieur Middleton. Comme monsieur Middleton et son épouse étaient mariés sous le régime de la communauté, les terrains appartiennent à mon client. Il ne saurait en être autrement.

— Objection votre honneur! s'exclama avec emphase l'avocat de Van Hutter.

— Vous avez la parole! répondit le président.

— Je crois que le tribunal sera d'accord avec nous et qu'il n'émettra aucun doute sur l'authenticité des documents que nous lui avons fournis!

— Je m'élève contre cette affirmation! vitupéra maître Colby. Je demande une contre-expertise des documents. Qu'en pense le tribunal?

Le président parut contrarié et, regardant l'avocat, répliqua :

— Maître, vous n'allez pas prétendre que les documents fournis par monsieur Van Hutter sont des faux!

— Monsieur le président, dans ma longue carrière, il m'est déjà arrivé d'avoir sous les yeux des faux que les experts ont qualifiés de démoniaques tant ils étaient semblables aux documents réels!

Une vague de protestation ébranla la foule.

— Silence! hurla le président, à la deuxième observation, je fais évacuer la salle!

L'avocat de Van Hutter se dressa et regarda le tribunal.

— Monsieur le président, encore une fois je demande la parole pour protester contre les insinuations fallacieuses de mon confrère.

— Allez-y maître!

La salle ne parvenait pas totalement à se taire. L'avocat la prit à témoin :

— Mesdames et messieurs, croyez-vous vraiment que mon client, monsieur Van Hutter, bénéficiant de la sympathie générale dans la ville, pourrait avoir falsifié des documents de cette importance?

Une des personnes se trouvant dans l'assistance se leva soudain et, fixant l'avocat, demanda à répondre. Le président fit signe d'approcher à ce témoin inattendu.

John et Eliane furent stupéfaits en voyant le vieux Steeve s'avancer. Il était vêtu de noir et tenait un chapeau de feutre gris à la main.

— Qu'avez-vous à déclarer? demanda d'un air grave le président manifestement intrigué.

— Monsieur le président, ce que j'ai à dire paraîtra peut-être étranger à ce procès, mais je voulais quand même vous informer que monsieur Van Hutter n'est pas du tout aussi blanc qu'il voudrait le faire croire à tous.

— Qu'est-ce que vous voulez dire exactement? Allez jusqu'au fond de votre pensée.

— Vous savez comme moi que monsieur Van Hutter est éleveur de chevaux et qu'à l'occasion il les loue à des particuliers.

— Opposition, votre honneur! glapit l'avocat de Van Hutter. Nous ne sommes pas ici pour parler de chevaux!

— Si justement, s'égosilla le vieux Steeve qui faillit s'étouffer tant il voulait se faire entendre.

A l'autre bout de la salle Van hutter semblait livide.

— Continuez, Monsieur, ordonna le président.

Le vieux Steeve poursuivit en reprenant son souffle.

— Si monsieur Van Hutter réclame les lopins de terre par voie juridique, c'est parce qu'il n'a pas eu le temps de les obtenir d'Esther Middleton.

Sous le choc de cette déclaration impromptue, une rumeur agita à nouveau l'assistance. Le président donna un coup de sonnette et peu à peu le calme revint.

— Qu'entendez-vous par là? dit-il quand la foule se tut enfin.

— J'ai entendu par hasard une conversation entre madame Esther Middleton et monsieur Van Hutter. Ce dernier disait qu'il lui fallait agrandir son territoire car il avait le projet de faire venir des chevaux français. C'est d'ailleurs le jour où madame Esther a eu son accident.

Maître Colby se dressa, demandant à brûle-pourpoint au vieux berger :

— Mais comment le saviez-vous?

— Ils étaient venus ensemble à cheval, comme ils le faisaient souvent, à la bergerie où je travaille pour monsieur Middleton. Ils descendirent de leurs montures et s'assirent derrière les caisses stockées devant les bâtiments. Ils ne savaient pas que je faisais justement un somme à cet endroit.

La salle éclata de rire.

— Donc vous affirmez que monsieur Van Hutter était avec Esther Middleton le jour de son accident mortel!

— Oui, monsieur le président!

Maître Colby déclama bruyamment :

— Mais cela n'a jamais été mentionné dans le rapport de l'enquête qui a eu lieu!

Le président se leva, suivi par les autres juges, et dit sentencieusement :

— L'affaire prenant une nouvelle direction, le jugement est reporté.

Le tribunal sortit de la salle pendant que la foule, libérée de la contrainte du silence qu'on lui avait infligée, se remit à parler. Ce fut un brouhaha de voix. On ne s'entendait plus.

John médusé par ce qu'il venait d'apprendre présentait un visage gris et figé. En le voyant ainsi, Eliane comprit qu'il était en proie à une grande tristesse. Sans s'en rendre exactement compte, elle lui serrait le bras en signe de solidarité. John gardait les yeux dans le vague. Maître Colby s'approcha et déclara aussitôt :

— Monsieur Middleton, comme vous avez pu l'entendre, ce témoin de dernière minute change tout à fait la tournure du procès. Il va falloir revoir la défense que nous avions prévue.

— Je ne m'attendais pas à toutes ces révélations, Maître, dit John d'un air morne en revenant au présent.

Il avait l'air totalement abattu. Il se leva, suivi d'Eliane. La foule évacuait lentement la salle. Le vieux Steeve vint près du groupe.

— Ne m'en veuillez pas, monsieur Middleton, sur ce que j'ai dit, j'ai une dent contre Van Hutter. Mais croyez-moi, je n'ai révélé que la vérité.

De l'autre côté de la salle Van Hutter parlait nerveusement avec son avocat. Il jeta un regard noir en direction du vieux Steeve.

John s'entretenait avec son berger :

— Mais enfin, Steeve, tu aurais dû m'en parler plus tôt!

— C'est seulement en venant ici que je me suis subitement souvenu de cette conversation, répliqua le vieux Steeve d'un ton peu convaincant.

— Ce n'était donc pas la première fois qu'ils venaient ensemble à la bergerie? demanda John la mine défaite.

Le vieux Steeve baissa la tête, regarda le chapeau qu'il était en train de triturer, et se tut.

## CHAPITRE VIII

JOHN insista encore :

— Raconte tout ce que tu sais puisque tu as commencé! C'est un ordre!

Le vieux Steeve posa sa vieille carcasse sur le banc et commença son récit. Les autres s'assirent à côté de lui. La voix haletante, il se mit à parler en évitant le regard de ses auditeurs.

— Comme je l'ai dit tout à l'heure, ce jour-là, Van Hutter et madame Esther vinrent, comme ils le faisaient souvent, à cheval à la bergerie. J'ai pu surprendre leur conversation. Van Hutter disait qu'il voulait qu'Esther lui cède les lopins de terre en bordure de son domaine. Elle semblait être d'accord. Je me souviens d'une phrase qu'elle a dit : « Comme ça, nous aurons plus de place pour nos chevaux. »

— Nos chevaux! s'exclama John, désappointé.

— C'est ce que j'ai entendu.

Maître Colby prit la parole :

— Dites-nous sincèrement si madame Middleton avait l'air très intime avec cet homme?

Le vieux Steeve parut embarrassé par la question. Il mit un temps pour répondre. Enfin il se décida :

— Ce que je peux dire, c'est que cela faisait des mois qu'ils se promenaient ensemble et lorsque parfois je les rencontrais, ils prenaient une attitude plus distante qu'à l'ordinaire l'un vis-à-vis de l'autre.

— Pourquoi dites-vous plus distante qu'à l'ordinaire?

Maître Colby fixa le vieux berger et continua :

— Qu'est-ce qui vous fait dire cela?

Le vieux Steeve avala sa salive.

John, la tête dans les mains, fixait le plancher. Eliane, très attentive, était pendue aux lèvres du vieux berger. Ce dernier se résolut à continuer son récit :

— Je les voyais souvent se tenir par la main quand ils descendaient de leur monture et qu'ils marchaient dans la savane.

L'avocat demanda encore :

— Et quoi d'autre? Je pense qu'il est inutile de nous cacher quoi que ce soit...

Le vieil homme baissa son regard sur ses bottes et dit :

— Excusez-moi, monsieur Middleton, je voulais me taire pour vous éviter de la peine, mais foi de vieux renard, maintenant que madame Esther n'est plus de ce monde, je pense que cela n'a plus d'importance.

Il fit une pause et reprit d'un ton gêné :

— Une autre fois, quelques mois avant, je m'étais caché non loin d'eux... Je voulais savoir par curiosité ce qu'ils se disaient...

Esther avait parlé la première :

— Mon chéri, disait-elle, il faut attendre que John soit parti à Sydney.

— Quand part-il? avait demandé Van Hutter.

— La semaine prochaine. Il doit recevoir des spécimens de bovins et il restera au moins trois semaines absent. Nous aurons alors le temps de nous occuper de nous.

— Mais, au cottage, les autres vont s'apercevoir que tu n'es pas là!

Esther avait souri malicieusement.

— Tu ne penses pas que ce sont mes employés qui vont faire la loi! Ils n'ont pas à se mêler de mes affaires!

— Rosa pourrait en parler à John quand il reviendra.

— Non! Même si elle se doutait de quelque chose, je sais qu'elle se taira. Du reste je crois qu'elle sait déjà que nous nous voyons.

— Il y a aussi le reste du personnel... avait objecté Van Hutter quelque peu inquiet.

— Ne t'en fais pas, mon chéri, tout se passera bien. Nous irons à Launceston chez Laura, ma camarade de lycée. Chez elle, nous ne risquerons pas d'être dérangés. Elle est muette comme une tombe!

Van Hutter avait paru légèrement rassuré.

— Esther, j'attends ce moment avec impatience.

Il y avait eu un silence. L'homme avait enlacé la jeune femme et avait posé ses lèvres contre les siennes, en un ardent baiser. Ensuite, il avait relâché son étreinte et avait demandé :

— Pourquoi ne demandes-tu pas le divorce?

— C'est encore trop tôt mon chéri, avait-elle répondu en le regardant dans les yeux.

— Pourquoi trop tôt?

— C'est à cause des filles. Elles sont encore si jeunes.

— Tu pourrais les faire rentrer au collège chez les sœurs franciscaines et comme ça tu aurais les mains libres.

Elle l'avait regardé, stupéfaite.

— Mais John n'acceptera jamais, il aime trop ses filles! Et en plus je serais obligée de licencier une partie du personnel.

— Oh! ce n'est pas cela le plus important, du moment que Rosa reste avec toi, c'est le principal.

— Je ne sais pas encore ce que je vais décider. Attendons un peu, tu veux bien?

Il avait pris un air sombre. Le voyant triste Esther s'était approchée de lui.

— Embrasse-moi, serre-moi contre toi. Dis-moi que tu m'aimes, mon amour!

Il avait obéi et lui avait donné un nouveau baiser. Ils étaient restés enlacés pendant un long moment.

— Et ton mari? Il ne se doute toujours de rien? avait demandé Van Hutter.

— Lui? Mais non. Il est trop niais et trop naïf pour comprendre ce qui se passe. À part son tennis, il ne s'intéresse à rien.

— Te délaisserait-il?

— Ce n'est pas tout à fait ça, avait-elle répondu les yeux brillants.

— C'est-à-dire?

— C'est moi qui me refuse!

— Ça suffit!!! hurla John en se levant d'un bond, les yeux dans le vague.

Ils furent tous frappés par sa pâleur.

John planta les autres sur place et à grandes enjambées traversa la salle vide. Il gagna la sortie. Eliane courut derrière lui en criant :

— John! John!

Celui-ci n'entendait rien. Il avançait sans se retourner. Une fois dehors, il sauta dans la Ford et démarra en trombe au nez et à la barbe de Bob qui attendait sur le trottoir. La jeune fille appela encore :

— John! John! Revenez!

La voiture disparut au coin de la rue.

— Que se passe-t-il? demanda le chauffeur, éberlué.

Eliane, encore haletante, ne put qu'articuler :

— C'est grave!

— Mais où est-il parti si vite?

— Je n'en sais rien. Il doit être traumatisé par ce qu'il vient d'apprendre!

— Mais que s'est-il donc passé, mademoiselle Eliane?

Ayant repris son souffle, la jeune fille l'informa succinctement :

— Le vieux Steeve a fait des révélations sur Esther.

— Quelles révélations? demanda Bob de plus en plus intrigué.

— D'après le vieux berger, madame Esther Middleton aurait entretenu des relations intimes avec Van Hutter!

Bob n'eut pas du tout l'air surpris.

— Vous savez, Mademoiselle, pour ne rien vous cacher, tout le monde au cottage était au courant, sauf bien entendu le principal intéressé!

Elle n'en crut pas ses oreilles.

— Et... personne ne le lui a jamais dit?

— C'était trop délicat, Mademoiselle. Et puis, nous autres employés, ça ne nous regardait pas.

— Alors ce que je ne comprends pas, s'écria-t-elle, indignée, c'est la raison pour laquelle tout le monde a mis Esther sur un si haut piédestal!

— Avec nous tous, elle était d'une si grande gentillesse...

Il regarda la jeune fille et poursuivit :

— Elle ne nous faisait jamais de reproche. Nous l'aimions beaucoup.

— Et lui, vous ne l'aimiez donc pas?

— Là n'est pas la question. On pensait qu'il était au courant des manigances de sa femme, et qu'il fermait les yeux, à cause des petites filles.

— Depuis quand le saviez-vous?

Bob était embarrassé et évita le regard d'Eliane. Il avoua :

— Depuis deux ans.

— Seigneur! Quelle histoire sordide!

A cet instant, le vieux Steeve et maître Colby sortirent du palais de justice et s'approchèrent d'eux.

— Où est monsieur Middleton? demanda l'avocat.

— Il est parti précipitamment avec la Ford, sans dire un seul mot, annonça le chauffeur.

— Mais, qu'est-ce qu'il lui a pris de s'enfuir de la sorte!

— Qui peut le savoir? répondit Bob, encore sous le coup de l'émotion.

— Si vous le voyez avant moi, vous lui direz que je tiens à le voir pour mettre en place une nouvelle procédure.

— Entendu, Maître.

L'avocat ébaucha un salut de la main et tourna les talons. Le vieux Steeve, tenant toujours son chapeau à la main, semblait frappé de mutisme.

— Tu en as fait de drôles, mon vieux, éclata Bob sur un ton de reproche.

Le vieux Steeve grommela dans sa barbe :

— Il fallait bien qu'un jour monsieur Middleton sache la vérité.

— Comment allons-nous rentrer? s'inquiéta Eliane. Elle voulait surtout changer de conversation.

— J'ai ma jeep, ne vous inquiétez pas, Mademoiselle, répondit le vieux berger en la regardant d'un air paternel.

— Eh bien allons-y! Nous passerons d'abord au collège prendre les petites filles, dit Bob.

— Mais ce n'est pas encore l'heure! constata Eliane.

— Cela ne fait rien. Aujourd'hui n'est pas un jour comme les autres! répliqua le chauffeur, l'air contrarié.

Ils partirent vers la voiture qui se trouvait sur le parking. Le vieux Steeve mit le moteur en marche et la jeep s'enfonça dans les rues de la ville.

Quelques instants plus tard, devant le collège, Bob sauta de la voiture et alla chercher Judith et Norma. Il revint presque aussitôt avec les petites Middleton.

Tous prirent le chemin du retour. Personne ne parlait. Eliane réfléchissait à cette matinée particulière. Le vieux Steeve avait dévoilé le secret si jalousement gardé par l'ensemble du personnel du cottage. Esther Middleton apparaissait sous un nouveau jour. Ce n'était plus la femme parfaite et irréprochable dont tous, et surtout Rosa, célébraient le culte. Cette façade de la perfection s'était lézardée à jamais et chaque mot du vieux Seeve lui avait porté un coup fatal. Le scandale avait éclaté au grand jour. Nul ne se serait douté que le procès apporterait de tels rebondissements. Van Hutter perdait la face et ses exigences ne sauraient probablement être admises par le tribunal. On savait maintenant qu'il avait déjà voulu obtenir les terrains grâce à ses relations avec Esther Middleton. Ses soi-disant documents, qu'étaient-ils au juste?

La pensée d'Eliane se tourna vers John. Il devait être anéanti par les informations du vieux Steeve sur sa femme, Esther. Cet homme devait se sentir bafoué dans son orgueil. Il semblait évident que John n'avait jamais dû connaître la liaison d'Esther avec Van Hutter et encore moins se douter qu'elle pensait se séparer de lui. S'il était parti si vite, c'est qu'il devait avoir honte. Honte pour lui-même et pour ses filles. Il devait savoir que les gens ne manqueraient pas de jaser. La presse en parlerait; on le montrerait du doigt.

Attristée, Eliane compatissait de tout son cœur au chagrin éprouvé par John. Elle aurait bien aimé être avec lui dans ces circonstances douloureuses et le consoler. Elle aurait su trouver les mots adéquats, elle en était certaine. Depuis qu'elle était au cottage, au fil des jours, elle avait appris à le connaître et savait maintenant qu'il était un être bon, sensible. Comment allait-il réagir? Et où était-il parti?

La jeune fille sentit une immense tendresse s'insinuer en elle. Son amour pour John grandissait. « Cher John, pensa-t-elle, vous pouvez vous appuyer sur moi, sur l'amour que je vous porte, revenez vite! Je saurai vous faire oublier votre peine! » Reviendrait-il?

Soudain Eliane eut peur. Et s'il voulait mettre fin à ses jours? Parfois, quand un scandale éclate, éclaboussant l'honneur de quelqu'un, il arrive que celui-ci commette un geste irréparable. Elle voulut se rassurer en se disant que John possédait des qualités morales solides et une force de caractère qui l'empêcheraient d'accomplir un tel acte. Une fois passé ce moment de découragement, il reprenait courage. Elle l'espérait de toutes ses forces.

La jeep pénétra dans l'enceinte du cottage. La Ford était garée devant le perron. Le vieux Steeve s'arrêta à sa hauteur. Bob sauta à terre, suivi de Norma et de Judith. La porte s'ouvrit et Rosa apparut.

— Monsieur Middleton est ici? demanda Bob à la gouvernante.

— Non! monsieur est arrivé complètement affolé. Il est allé dans sa chambre. Quelques minutes après il est redescendu avec une petite valise et sans dire un mot, il est allé vers son avion et a décollé.

Tous se retournèrent et constatèrent que le Tander n'était plus sur la piste.

Eliane s'apprêtait aussi à descendre de la voiture quand le vieux Steeve lui dit :

— Attendez, mademoiselle Eliane, j'ai à vous parler!

Il embraya et fit le tour de la pelouse, pendant que les autres entraient dans la maison. La jeep s'arrêta devant le portail en fer forgé.

— Je voulais vous dire que ce que j'ai dit au tribunal c'était intentionnel, expliqua le vieux Steeve.

— Qu'est-ce que vous voulez dire?

— Je connais bien monsieur Middleton, c'est un homme intègre, mais sa femme ne méritait pas sa confiance. C'est pour cette raison qu'aujourd'hui, je me suis permis d'en finir avec toutes ces hypocrisies à son sujet. Tout le monde disait qu'elle était parfaite et chacun avait fini par le croire, sauf moi. Je savais depuis longtemps ce dont elle était capable. Jusqu'alors, je n'avais rien dit.

— Pour quelle raison?

— Parce qu'il est toujours difficile de parler d'une morte. Mais dès que j'ai vu monsieur Middleton reprendre le sourire qu'il avait perdu, le jour où vous êtes venue avec lui à la bergerie, j'ai pensé aussitôt que ce serait un bien de l'aider en lui faisant comprendre que *son* Esther ne l'aimait pas, et qu'il valait mieux trouver une autre compagne, digne de lui. Vous, par exemple!

— Vous ne pensez pas que vous extrapolez un peu! murmura Eliane, légèrement troublée.

— Non, pas du tout, Mademoiselle. Je suis un vieux cheval, on ne peut pas me tromper! Si ceux du cottage vénèrent madame Esther, moi de mon côté, j'ai beaucoup d'estime pour monsieur Middleton. J'ai l'air d'avoir fait éclater un scandale inutile et on pourra probablement m'en tenir rigueur, mais parfois il vaut mieux crever l'abcès une fois pour toutes et voir les réalités d'un œil neuf.

— Vous n'avez pas l'air de vous rendre exactement compte du mal que vous avez fait à monsieur Middleton! gémit la jeune fille.

Le vieux Steeve reprit, se voulant de plus en plus convaincant :

— Comme je viens de vous le dire, parfois le mal est un bien! Guérir le mal par le mal est une solution draconienne mais souvent préférable que de couver une maladie qui s'éternise...

Elle l'interrompit :

— Personnellement, je suis persuadée que monsieur Middleton vous en voudra d'avoir remué les eaux du passé par vos soudaines révélations!

— Ce n'est pas sûr, Mademoiselle. Il finira par

comprendre que je n'ai pas voulu le salir, mais, au contraire, l'aider.

— Je crois que vous vous êtes attiré les foudres du ciel et en particulier les remontrances inévitables du personnel du cottage.

Le vieux Steeve eut un geste de désarroi et fixa la jeune fille.

— Vous aussi, seriez-vous contre moi? demanda-t-il anxieux.

— Non, Steeve. Je vous comprends, mais cela ne veut pas dire que je vous approuve totalement.

Il eut un regard empreint de reconnaissance.

— Vous verrez, quand monsieur Middleton reviendra, il sera complètement transformé, foi de vieux renard!

— Je vous remercie de m'avoir parlé de tout ça, Steeve, maintenant il faut que je rentre.

Elle lui tendit la main en signe d'amitié et lui sourit gentiment. Il serra la main de la jeune fille de sa poigne vigoureuse et dit :

— Au revoir, mademoiselle Eliane, à bientôt.

Elle descendit du véhicule. Le vieux Steeve embraya aussitôt, laissant derrière lui le cottage et Eliane qui, le cœur lourd, se dirigeait vers la maison.

Elle traversa la pelouse en empruntant le chemin de gravier. Tout en marchant, elle s'efforçait de réprimer son angoisse. Où donc était allé John? Que comptait-il faire? Comment Rosa allait-elle réagir en apprenant la nouvelle? Bob avait déjà dû lui raconter ce qui s'était passé dans la matinée. La gouvernante avait dû être désappointée; désormais, elle ne pourrait plus clamer que son Esther était une femme parfaite et irréprochable. A moins qu'elle ne prétendît encore que les révélations du vieux Steeve étaient des calomnies pour la souiller. Elle en était bien capable! En fait Rosa avait le même comportement que certaines mères abusives qui se voilent les yeux, quand leur enfant est soupçonné d'avoir commis un quelconque délit cherchant à le protéger envers et contre tous.

Or ce qu'avait dit le vieux Steeve était significatif. Eliane pensa à la conversation qu'elle venait d'avoir avec lui. Si John avait repris son sourire depuis qu'elle était au cottage, cela démontrait sans réserve qu'elle ne lui était pas indifférente. Cette pensée la rassura. Effectivement, ce qu'il avait appris aujourd'hui avait eu l'effet d'un coup de massue. Dans un sens, le vieux Steeve avait raison, c'était peut-être un bien que John connaisse enfin la vérité. Cela lui permettrait de voir le présent sous un autre angle. Ainsi il ne vivrait plus dans le souvenir d'Esther en la vénérant comme il le faisait jusque-là. Il pourrait s'en libérer et orienter sa vie d'une autre façon. Eliane pensa que peut-être il s'intéresserait davantage à elle. Elle avait compris qu'il avait une tendresse infinie pour sa personne. Le moment était-il proche où John allait enfin se déclarer? Elle n'en était pas sûre. N'avait-elle pas assisté à son humiliation? Le lui pardonnerait-il?

En franchissant le seuil de la porte, la jeune fille sentit immédiatement que l'atmosphère était tendue dans la maisonnée. Rosa, blafarde, était dans tous ses états. Elle hurlait, en proie à une violente colère.

— Comment ce vieil ivrogne a-t-il osé débiter des énormités pareilles?

Elle s'adressait à Bob qui restait silencieux. Stella et Véra se tenaient près de Mario devant l'entrée de l'office et écoutaient en se poussant du coude.

— Ah! Vous voilà, mademoiselle Cordelier! s'exclama la gouvernante en la voyant entrer, son bloc-notes à la main.

Eliane s'approcha sans méfiance. Rosa bondit sur elle et lui arracha le carnet.

— Mais enfin, Madame, ce sont les notes pour monsieur Middleton!

— Qu'à cela ne tienne, je veux connaître ce qu'a dit ce vieux cochon de Steeve! N'ayez pas peur, je vous le rendrai votre bloc!

Il y eut un moment de silence pendant que la gouvernante lisait les notes prises par Eliane. Tout en parcourant les lignes manuscrites Rosa se raclait la gorge et murmurait des hum. Son visage était boursouflé par la colère, elle éclata :

— Mensonges! Mensonges! Tout cela est faux!

Elle rendit le bloc à la jeune fille en glapissant.

— Vous aussi, vous croyez aux médisances de ce vieil ivrogne?

— Madame, ce n'est pas à moi de juger. Je n'étais présente, comme vous le savez, que pour aider monsieur Middleton.

La gouvernante eut un air mauvais et reprit d'une voix vindicative, en haussant le ton.

— Je suis sûre que cela vous a enchantée de voir souiller la mémoire de notre chère Esther!

— Pas du tout, Madame. Du reste, je ne la connaissais pas.

Rosa repartit de plus belle :

— Figurez-vous que moi, par contre, je la connaissais ainsi que tous les employés de la maison. Une femme remarquable! Nous ne pouvons supporter qu'aujourd'hui on la salisse de cette façon! Je commence à comprendre pourquoi monsieur Middleton a préféré partir. Il n'a pas dû pouvoir supporter une telle ignominie sans être meurtri au plus profond de lui-même. La panique a dû s'emparer de lui.

Eliane demanda d'un ton qui se voulait ferme :

— Vous a-t-il dit où il allait?

Rosa explosa.

— Mais de quoi je me mêle! Monsieur Middleton n'a de comptes à rendre à personne. Quand il n'est pas là, c'est moi qui commande ici, sachez-le une fois pour toutes!

Judith et Norma sortirent de l'office. Elles avaient fini de prendre leur collation.

— Où est papa? demanda Norma, les yeux embués, d'une petite voix pleurnicharde.

— Il va bientôt revenir. Demain il sera de retour, dit la gouvernante en essayant de radoucir sa voix.

— Mais où est-il parti? s'empressa de demander Judith qui n'était pas rassurée par les promesses de Rosa.

— Cela ne vous regarde pas! Ce sont les affaires des grandes personnes.

Les petites filles s'approchèrent d'Eliane et se blottirent contre elle. La jeune fille leur adressa un sourire bienveillant pour les rassurer, alors qu'elle-même était terriblement inquiète.

Contrariée de voir l'attachement des petites filles pour la Française, Rosa dit d'un ton sec :

— Bon! Mademoiselle, vous avez un repas servi à la cuisine. Je vous invite à le prendre rapidement et ensuite vous donnerez votre cours aux petites!

Sa voix était empreinte de cynisme. Les autres se taisaient toujours. Bob se mit à parler profitant du fait que la gouvernante reprenait son souffle.

— Je rentre à Hobart, annonça-t-il, je reviendrai demain matin.

Rosa le regarda d'un air dédaigneux comme si elle lui en voulait aussi et dit avec force :

— Ce que je vais vous demander de faire sur-le-champ, c'est d'aller prévenir ce vieil ivrogne de Steeve que je veux une explication avec lui. Vous lui direz que je l'attends de pied ferme. Qu'il ne se dérobe pas, surtout, sinon gare à lui!

— Bien madame, j'y vais tout de suite. Après, je rentrerai à Hobart.

Il salua tout le monde d'un geste de la main et se retira.

— Judith, Norma, montez dans votre chambre! Je vais venir vous aider à vous changer! ordonna la gouvernante.

Eliane partit vers la cuisine, tandis que les autres employés vaquaient à leurs occupations respectives.

## CHAPITRE IX

LE lendemain, John n'avait toujours pas reparu. Le téléphone avait sonné toute la journée. D'abord ce fut maître Colby, puis le pasteur Wallace et d'autres amis qui l'avaient demandé. Dans la maison, l'atmosphère était lourde et oppressante. Eliane se sentait étrangère dans ce lieu. Les employés avaient l'air de l'ignorer, de la bouder, comme si ce qui venait d'arriver était de sa faute. Le vieux Steeve n'ayant pas donné signe de vie, Rosa, furieuse, arpentait la pièce du bas. Elle allait et venait dans le grand salon en se parlant à elle-même. Comme chaque jour, Bob était venu chercher Judith et Norma et les avaient ramenées. La jeune fille leur avait fait son cours quotidien. Ce fut le seul moment de la journée qui ressembla à une détente.

Maintenant les petites filles jouaient dans le jardin et Eliane les regardait de sa fenêtre. « Sont-elles heureuses? » se demanda-t-elle, pensive. Déjà, elles n'avaient plus de maman, et voilà que leur père était parti lui aussi! Et elle-même, que devait-elle attendre de l'avenir?

Sans John, elle se sentait perdue, à la merci de Rosa qui devenait encore plus aigrie et menaçante.

Cette femme exerçait sur les autres membres du personnel une puissante domination. Personne n'aurait osé lui répondre, ni contrecarrer ses ordres. « Pourvu que John revienne vite, autrement je ne sais pas si je pourrai tenir longtemps à ce régime! » se dit-elle accablée.

Elle s'allongea sur son lit et fit le point de la situation. « Si John ne revient pas, il ne me reste qu'à repartir en France. J'ai toujours mon billet de retour... » Cette éventualité ne lui plaisait qu'à moitié et, pourtant, elle était bien obligée de l'envisager. Si elle en était réduite à cette dernière extrémité, elle savait qu'elle partirait à contrecœur. Elle s'était d'une part habituée aux petites filles qui lui donnaient une affection sans limites et à John duquel elle espérait beaucoup.

Elle était plus que certaine qu'il avait un sentiment pour elle, semblable à celui qu'elle éprouvait maintenant pour lui. Pour le moment tout était au point mort. C'était le vide! Le néant!

Prise d'une grande lassitude et d'une tristesse incommensurable, Eliane décida d'écrire à ses parents. Quittant le lit, elle s'assit à sa table de travail et commença une lettre.

« Mes chers parents,

Je pense souvent à vous, surtout en ce moment. Je me sens un peu isolée dans cette grande maison, à cause de certains faits nouveaux qui rendent ma vie plus difficile qu'au début de mon séjour. Je ne sais pas exactement si j'ai envie de rester plus longtemps en Australie. Les prochains jours me le confirmeront. Il y a beaucoup de choses qui me retiennent ici, mais je ne puis vous les expliquer, ne sachant pas encore moi-même les analyser clairement. Je vous écris ceci, afin que vous ne soyez pas étonnés si vous me voyez rentrer à Cannes un beau matin! Je vous embrasse très fort.

Votre Eliane. »

La jeune fille plia délicatement la feuille de papier et la glissa dans une enveloppe-avion. Elle colla les bords et la posa sur la table. En regardant sa montre, elle s'aperçut que le dîner était dans cinq minutes. Elle alla vers la coiffeuse et se donna un coup de peigne machinal. En considérant son visage dans le miroir, elle fut obligée de convenir qu'elle n'avait pas la mine resplendissante des jours précédents. Elle quitta sa chambre et descendit l'escalier avec lenteur.

Le salon était à peine éclairé. « Ils sont tous à l'office », se dit-elle. En effet, en entrant dans la cuisine, la jeune fille s'aperçut que tout le personnel était attablé ainsi que les petites filles. Déjà, le majordome servait le potage. Eliane s'assit à sa place habituelle en souhaitant bon appétit à la tablée. Seule, Stella lui renvoya sa politesse. Chacun mangeait en silence. Rosa, le visage fermé, fixait son assiette. Mario, ayant fini le service, s'assit à son tour. Il goûta le potage et dit en faisant claquer sa langue :

— Hum! Il est excellent!

Rosa le regarda d'un air sévère et lui lança :

— On ne vous a pas demandé votre avis. Mangez et taisez-vous!

Eliane pensa que cette femme possédait l'art de rendre l'atmosphère irrespirable. Elle se plia silencieusement aux exigences de la gouvernante. Le dîner se passa sans commentaire. Même Judith et Norma n'ouvrirent pas la bouche, sinon pour avaler leur nourriture.

Eliane s'aperçut que les employés la regardaient étrangement, comme des juges regarderaient un criminel. Chacun la fixait intensément. « Que me veulent-ils? De quoi suis-je donc coupable à leurs yeux? » se dit-elle, agacée.

Le repas terminé tout le monde se leva. Eliane et les petites filles allèrent dans le salon et s'installèrent sur un divan face au poste de télévision.

— Tu sais, toi, où il est, papa? demanda Norma en jetant un regard suppliant à la jeune fille.

Stupéfaite, Eliane ne répondit pas tout de suite. Elle réfléchit et finit par dire :

— Il est allé sur le continent, faire des achats. Il va vous ramener beaucoup de cadeaux, vous verrez!

Norma sauta de joie à l'annonce de cette nouvelle.

— Oh ça alors!

Puis elle se ravisa :

— Mais il ne nous a rien dit!

— Il veut vous faire une surprise!

— C'est vrai? ajouta Judith incrédule comme d'habitude.

— Pourquoi vous mentirais-je?

— Oh, ce n'est pas ce qu'a dit Rosa!

— Ah bon? Et qu'est-ce qu'elle a dit?

— Elle a dit à Mario qu'il était parti à cause de notre maman qui est morte! dit Judith les yeux dans le vague.

Eliane eut un serrement de cœur tant la réponse de la petite fille la chagrinait.

— Je crois qu'elle se trompe! Votre papa va revenir très vite.

— Mais notre maman ne reviendra plus. Elle est au ciel, ajouta Judith d'une voix sérieuse.

— Elle doit vous manquer beaucoup, mes chéries.

La jeune fille embrassa les petites filles assises à côté d'elle et les serra dans ses bras.

— Ça y est! C'est le feuilleton! lança Norma.

— Taisez-vous maintenant, dit Eliane.

— C'est Numo le cachalot, chouette! dit encore la petite fille qui ne pouvait se taire.

Son visage s'illumina ainsi que celui de sa sœur. Les petites filles oublièrent instantanément leurs préoccupations de l'instant d'avant. Elles regardèrent le feuilleton à côté d'Eliane. Le temps passa, puis ce fut le moment du coucher.

Rosa, sans un mot, vint chercher Judith et Norma. Eliane aussi gagna sa chambre en silence après le rituel bonsoir aux petites filles.

Quelle ne fut pas sa surprise de constater que la lettre qu'elle avait écrite avant le dîner et qui était restée sur la table avait été décachetée!

— Ça alors! Comment a-t-on pu se permettre d'ouvrir mon courrier? dit-elle tout haut.

Eliane était sidérée. Jamais elle n'aurait supposé que quelqu'un pût commettre une indélicatesse aussi grave. C'était sans nul doute une employée de la maison ou Mario? Hormis les petites filles qui étaient avec elle, chacun des autres avait pu être l'auteur de cet acte. On avait lu ce qu'elle avait écrit à ses parents. On connaissait donc son éventuelle décision de quitter l'Australie! Après tout, qu'est-ce que cela pouvait faire? Elle s'en moquait. Comme ça *ils* comprendraient quels étaient ses tourments et peut-être seraient-ils moins corrosifs à son égard.

Malgré tout, cette découverte augmentait son angoisse. Le climat d'insécurité qui s'instaurait dans le cottage commençait à lui faire peur. Cette lettre qu'on s'était permis d'ouvrir était comme une atteinte à sa liberté, à sa propre personnalité. Ici on ne respectait même pas la vie privée des habitants du lieu. C'était inadmissible! Insupportable! A l'avenir, il faudrait qu'elle se méfie de tout, surtout pendant l'absence de John. Elle glissa la lettre dans une autre enveloppe. « Cette fois je peux la laisser en évidence sur la table », se dit-elle amèrement. Etait-ce dû à la nervosité, ou à la contrariété, mais une migraine lui vint subitement. Elle avala un calmant dans un verre d'eau. « Au moins je pourrai dormir », soupira-t-elle en se faufilant dans les draps.

# CHAPITRE X

— UN double whisky, s'il vous plaît, mademoiselle!

— Sec, monsieur?

— Oui! Et mettez la double dose!

— Ça fera quatre alors! dit la barmaid en montrant ses jolies canines.

John opina du chef. Il était juché sur un tabouret au « Foolish-bar ». Cela faisait deux jours qu'il se trouvait à Sydney et qu'il faisait la tournée des pubs et des bars de la ville. Il alluma une cigarette mentholée et respira profondément la fumée. Depuis qu'il avait appris qu'Esther l'avait odieusement trompé avec Van Hutter, son moral était de jour en jour plus bas.

Il ne s'en remettait pas. Lui qui avait tellement cru en cette femme! Il ne se serait jamais imaginé qu'elle aurait pu être capable d'une telle vilenie. Il se sentait honteux, bafoué. Brusquement, il commença à se rappeler les prétextes qu'elle inventait à tout moment pour quitter le cottage et surtout pour monter à cheval! Il ne se doutait de rien, croyant qu'elle lui était attachée, puisque c'était elle qui avait tenu à l'épouser. Or apprendre cette trahison un an après sa mort, l'avait anéanti. C'était absurde! Il était parti sur un coup de tête; maintenant il réfléchissait sur la conduite qu'il devrait adopter pour assumer la suite des événements.

— On s'est bien moqué de moi, on m'a pris pour un imbécile, voilà ce qui arrive quand on veut être gentil avec tout le monde! maugréa-t-il à voix haute, au point que la barmaid le regarda, intriguée.

Son voisin de comptoir se retourna, choqué. John constata tout d'un coup qu'il s'était parlé à lui-même. Gêné, il finit son verre, paya et sortit de l'établissement d'une démarche incertaine. Dehors, la nuit était tombée depuis fort longtemps. La ville était entièrement illuminée. Il fit quelques pas et entra au « Drunk-Dry-bar » qui lui tendait les bras. La salle était sombre. Une musique douce l'accueillit. Il alla directement au comptoir et commanda un double whisky sec. Le barman, en bon professionnel, le lui servit aussitôt. « Combien vais-je en boire ce soir? se dit-il. C'est idiot de se saouler de la sorte! Cela ne change rien à mon problème. Il faudra bien que je retourne à Hobart, au cottage. Que doivent penser mes filles et surtout Eliane que j'ai quittée précipitamment à la sortie du palais de justice? » Ce souvenir lui fit penser au vieux Steeve. « Quelle tête de mule celui-là! Pourquoi a-t-il fait tout à coup ces révélations? Certainement pour m'aider, bien sûr! »

John connaissait le vieux berger de longue date. Il savait qu'il pouvait s'appuyer sur lui en toute circonstance. Une grande amitié les liait tous les deux. Mais pourquoi s'était-il tu jusqu'alors? Pourquoi n'avait-il pas divulgué ce qu'il savait, du temps où Esther était encore vivante? Puisqu'elle voulait divorcer, il ne l'en aurait pas empêchée, comme d'ailleurs il ne l'avait pas empêchée de l'épouser! Alors? Pourquoi tant de cachotteries et d'hypocrisie? Lui, il n'était pas de cette trempe. Le comportement de sa femme le laissait perplexe et le décevait totalement. De toute façon, il n'avait jamais été vraiment heureux avec elle. Esther l'intimidait, il s'était toujours senti écrasé par elle. Il était diminué face à la fortune qu'elle avait apportée dans le ménage, alors que lui ne possédait rien. C'est pour cette raison qu'il s'était toujours senti inférieur vis-à-vis d'elle.

Au début de leur mariage, tout allait bien, surtout les deux premières années qui avaient vu les naissances de Judith et de Norma. Par la suite ce fut différent. Avec son comportement indépendant, Esther n'en faisait qu'à sa tête. Elle commandait, s'occupait de tout, des affaires propres au domaine, du personnel; enfin il avait compris que, même en face des gens formant la société d'Hobart, il n'était qu'une sorte de *prince consort*. Elle sortait quand elle le décidait sans lui demander son avis. Comme sa passion était de monter à cheval, John avait trouvé tout à fait naturel qu'elle aille chez Van Hutter louer des pur-sang.

« Quel imbécile j'ai pu être de me laisser berner de la sorte! » songea-t-il amèrement. Van Hutter était donc l'amant d'Esther! Voulait-il en plus qu'elle lui donnât une partie du domaine? Esther ne pouvait utiliser que la part qui lui revenait, étant donné qu'elle était mariée sous le régime de la communauté. Une des clauses du contrat stipulait que l'héritage irait de toute façon aux filles, à leur majorité. John avait accepté de bon cœur. Il aimait tant ses filles.

Il hocha la tête. Une transformation s'opérait en lui.

— Un autre verre barman!

— C'est le dernier, monsieur. Après nous fermons.

— Bien bien, je ne ferai pas de vieux os ici, rassurez-vous!

John reprit le cours de ses pensées.

« Je crois que je ferais mieux de m'intéresser un peu plus à Eliane. Elle au moins, elle est humaine et correspond tout à fait à mon caractère. Son physique est plus qu'agréable, son maintien très simple. Son intelligence dépasse la moyenne, et elle a l'avantage de plaire à mes filles. Eliane aussi semble les aimer énormément.

Alors pourquoi resterais-je célibataire? Ce n'est pas une vie pour un homme! Jusqu'à présent je gardais le deuil, je trouvais que c'était normal, une coutume respectable. Mais maintenant tout change! Je crois que c'est le moment de refaire ma vie. Ce serait idiot de laisser passer une occasion pareille! Je crois qu'Eliane ne demanderait pas mieux. J'ai senti chez elle comme un appel et cela plusieurs fois. Peut-être ne s'en rend-elle pas compte? En tout cas pour moi, c'est une certitude. »

John se mit à penser à sa gouvernante.

« J'ai eu tort de quitter le cottage. Rosa va lui rendre la vie impossible, à ma chère petite Française. Pourvu qu'elle ne décide pas de rentrer dans son pays. Il faut que je retourne là-bas le plus vite possible. »

Il termina son whisky.

— Barman! Appelez-moi un taxi, je rentre. John tendit une grosse coupure. Gardez tout!

Le barman eut un sourire jusqu'aux oreilles. Ce n'était pas tous les jours qu'il avait un client si généreux.

— A vos ordres, milord!

John attendit quelques instants et le taxi arriva.

— Bonsoir, monsieur.

— A l'année prochaine! dit John qui sentait l'alcool lui engourdir le cerveau.

Il sortit. Une nuit noire l'accueillit.

Eliane marchait pieds nus sur une plage déserte. Malgré une lune blafarde qui essayait en vain de percer les nuages, la nuit et la mer étaient noires comme de l'encre. Angoissée, elle se demanda ce qu'elle faisait dans cet endroit inconnu. Pourquoi était-elle venue se promener sur cette plage, à une heure aussi tardive?

Soudain, sentant une menace dans son dos, elle se raidit. Un réflexe naturel l'obligea à se retourner. Elle fut clouée sur place d'épouvante. Un énorme rat la fixait de ses petits yeux gris et brillants. Elle poussa un hurlement et se mit à courir à toutes jambes. Le hideux animal resta figé quelques secondes, avant de se décider à réagir. Cela permit à la jeune fille de prendre de l'avance. Le rat se lança à sa poursuite. Sa denture répugnante donnait l'impression d'un sourire démoniaque. Sa longue queue brune et sale traînait derrière son corps aux longs poils. C'était un rat colossal, un géant de la taille d'un veau!

Eperdue, la jeune fille courait de toutes ses forces pour échapper à ce monstre sorti du néant.

Il gagnait du terrain. Elle regarda subrepticement derrière elle et s'aperçut avec horreur que la masse informe s'approchait inexorablement.

Eliane avait le souffle court et un étau lui enserrait la gorge. Alentour il n'y avait personne. La fatigue l'envahissait. Elle sentit ses genoux plier, malgré elle. « Je suis perdue! » pensa-t-elle avec effroi.

L'animal n'était plus qu'à un mètre, elle entendait sa respiration haletante comme un soufflet de forge. Elle hurla de terreur.

Eliane se réveilla brusquement. Elle était en nage. Des gouttes de sueur constellaient son front. Son corps était moite.

Elle alluma sa lampe de chevet d'un geste nerveux et respira profondément. « Ce n'était qu'un cauchemar, tant mieux », pensa-t-elle encore sous le coup de l'émotion et tout en regardant les objets familiers de sa chambre.

Rassurée, elle sauta en bas de son lit. Sa chemise était trempée. Elle en choisit une nouvelle dans l'armoire, puis prit une douche froide pour se calmer. Jetant un coup d'œil à son réveille-matin, elle constata qu'il était minuit trente. Sachant qu'elle ne pourrait plus retrouver le sommeil, elle décida de boire une tisane. Elle considéra son reflet dans la glace de l'armoire. Sa chemise vert amande lui allait à ravir. Elle saisit un peignoir de laine et l'enfila ainsi que des chaussons. Ensuite elle sortit de sa chambre.

Le couloir était silencieux, plongé dans l'ombre. Elle appuya sur l'interrupteur. La lumière la rassurait. Elle descendit l'escalier à pas lents et remarqua aussitôt qu'une vague lueur fusait de l'office. « Qui peut être dans la cuisine à cette heure-ci? John? » se demanda-t-elle avec un espoir secret. Le filet de lumière éclairait faiblement le salon. Aussi, Eliane n'alluma pas le grand lustre et s'avança vers l'office.

Elle entendit une voix. C'était celle de Rosa. Toujours dans la pénombre la jeune fille s'approcha de la porte entrebâillée. Ce qu'elle vit, lui fit stopper son élan.

Une bougie unique posée au centre de la table ovale envoyait une pâle clarté sur les visages des quatre présents. Il y avait Rose, Stella, Véra et Mario.

« Le clan des Italiens! » murmura-t-elle, presque amusée. Ils paraissaient inertes. La voix de la gouvernante s'éleva à nouveau, grave, sentencieuse :

— Esther, es-tu là? Parle-nous par la bouche de Stella!

Comme tous les médiums, la bonne avait le don de pouvoir converser avec l'au-delà, avec certaines personnes mortes depuis peu de temps.

Frappée de stupeur, interdite, Eliane resta à sa place sans oser esquisser le moindre geste. Elle écarquilla les yeux, attendant la suite des événements. Les autres ne se doutaient pas de sa présence. Rosa réitéra sa question.

La réponse ne tarda pas.

— Je suis avec vous! dit subitement la bonne d'une voix glaciale qui n'était plus du tout la sienne.

Tous se raidirent sur leur siège. Eliane était pétrifiée. Un frisson lui parcourut l'échine. Le visage de Stella arborait une expression totalement différente de ses traits habituels. Elle était méconnaissable. Sous la clarté de la bougie dont la flamme oscillait légèrement, son masque devenait encore plus étrange.

Rosa posa une autre question.

— Que devons-nous faire au sujet de l'étrangère? Devons-nous la chasser?

La voix d'Esther se fit entendre une nouvelle fois :

— Malheur aux intrus qui viennent souiller ma maison!

Le sang de la jeune fille se glaça dans ses veines. Tout à coup une peur panique la submergea. Dans un mouvement instinctif, elle voulut fuir.

A cause du clair-obscur qui régnait dans le salon, en se précipitant vers l'escalier, Eliane buta contre une commode, sur laquelle trônait une photo de la morte. Sans le vouloir elle heurta la photographie qui bascula. En tombant sur le sol, le cadre se brisa et un bruit, qui parut énorme, retentit dans le silence de la nuit. Aussitôt Rosa sortit en trombe de l'office et alluma la lumière. Le lustre du salon étincela de toutes ses lampes. La gouvernante aperçut la jeune fille.

— Que faisiez-vous là? Vous nous espionnez, hein?

En proie à une indicible terreur, Eliane se taisait. Soudain, Rosa vit le cadre sur le sol. Les éclats de verre parsemaient le carrelage, et les fragments acérés avaient mutilé le portrait d'Esther. Son gracieux visage était complètement défiguré. Rosa s'approcha plus près et s'écria en levant les bras au ciel :

— Malédiction, malédiction!

A cet instant seulement les autres sortirent de la cuisine et virent la gouvernante agenouillée, les bras en croix.

— *Santa Maria, Madre del Dio!* implorait-elle, les yeux rivés vers le plafond.

Mario s'approcha, suivi des deux autres femmes. Tous imitèrent la prosternation de la gouvernante. Eliane restait à l'écart et observait la scène d'un air absent. Rosa se signa et baissant la tête se mit à prier. Les autres en firent autant.

Un moment après, la gouvernante se redressa subitement, l'œil mauvais, lançant un regard sanguinaire à la jeune fille. Et pointant un doigt accusateur vers elle :

— Tu es maudite, maudite, sale étrangère, hurla-t-elle.

Ensuite, aidée par Stella, Véra et Mario, Rosa se mit à ramasser religieusement les débris du cadre.

Mario rompit le silence :

— Vous feriez mieux d'aller vous coucher, mademoiselle!

Eliane, sans dire un mot, commença à gravir les marches. Soudain la porte principale du salon s'ouvrit avec fracas et John apparut, à l'étonnement général. Prise tout à coup de vertige, Eliane chancela et s'évanouit. John s'élança vers elle et l'attrapa de justesse dans ses bras. Il se retourna vers les employés sans rien dire, en les mitraillant d'un regard noir, plein de remontrances. Il porta la jeune fille jusqu'à sa chambre, la posa délicatement sur le lit, puis sortit en refermant la porte derrière lui. Il regagna le salon d'un pas décidé. Son personnel l'attendait silencieux et craintif.

— Que se passe-t-il ici quand je n'y suis pas? Comment se fait-il qu'à cette heure tardive, vous êtes encore tous debout? Voulez-vous me l'expliquer?

Le ton était tranchant, métallique.

Sentant que le maître de maison avait renoncé à sa bonhomie et à sa gentillesse habituelles, personne n'osa répondre. Chacun était encore sous le coup de la surprise de voir le patron de retour en pleine nuit.

John n'avait pas attendu le lendemain pour quitter Sydney. Il avait préféré regagner immédiatement la Tasmanie, un sombre pressentiment l'ayant averti qu'il ne devait pas rester plus longtemps éloigné de sa maison. Aussi avait-il décollé avec son *Tander* sans plus tarder.

Maintenant il s'apercevait que son intuition ne l'avait pas trompé et qu'il avait eu raison de revenir dans la nuit. L'impression qu'il avait eue en rentrant lui indiquait que quelque chose de bizarre se passait au cottage. Les visages des employés lui paraissaient étranges. Il voulait en avoir le cœur net. Brusquement il se mit à penser à Eliane. « Pourquoi s'était-elle évanouie de la sorte en me voyant », se dit-il.

John interpella Rosa :

— Madame, dit-il d'une voix acerbe, j'attends des explications!

La gouvernante serrait contre elle le cadre endommagé.

— Nous avons entendu du bruit dans le salon alors que nous étions encore à l'office, rétorqua-t-elle en fixant le maître de maison.

— A une heure aussi tardive! Que faisiez-vous?

— Nous bavardions, comme nous le faisons souvent, de notre pays d'origine. Comme j'ai entendu un vacarme dans le salon, j'ai eu peur et je me suis précipitée pour allumer. C'est alors que j'ai aperçu Mlle Cordelier, devant les débris de ce cadre. Elle prétend l'avoir heurté par mégarde.

John regarda son personnel avec dédain. Froidement il déclara :

— Vous vous êtes tous bien moqués de moi pendant des mois, des années même! Vous saviez qu'Esther était la maîtresse de Van Hutter! Aucun de vous n'a eu le courage ou la gentillesse de me prévenir! Osez dire le contraire?

Rosa se décida à répondre :

— Nous pensions tous que vous le saviez, monsieur, et que vous fermiez les yeux, à cause de vos enfants.

Il explosa :

— Ça alors, c'est trop fort! Fermer les yeux! Mais vous me prenez pour un imbécile!

Il fit une pause et reprit :

— Vous croyez peut-être que la bonté s'apparente à la bêtise! J'en ai assez d'être ridiculisé dans cette maison. Je vais mettre le holà à tout ça. La situation va changer! Pour commencer vous pouvez tous faire vos paquets, je vous chasse de ma demeure. Demain matin je vous réglerai vos gages pour en finir une fois pour toutes!

Il laissa les quatre employés complètement abasourdis et gagna l'étage. Il retourna dans la chambre d'Eliane. Celle-ci dormait à poings fermés. Après il passa voir ses filles. Judith et Norma semblaient heureuses dans leur sommeil. Un léger sourire traînait sur leurs lèvres. Enfin il décida d'aller dormir lui aussi.

Le lendemain matin John se réveilla à six heures. Il descendit à la cuisine et prépara son petit déjeuner. Il s'installa ensuite à la grande table du salon et commença à établir des chèques et des certificats de travail pour le personnel qu'il congédiait. « Je vais demander une nouvelle bonne et une cuisinière au Service de la main-d'œuvre. Je ne veux plus voir ces hypocrites. Nous verrons qui commande ici! » rumina-t-il.

Jusqu'à présent, il avait supporté sans rien dire le caractère exécrable de Rosa et les imperfections de ses employés dans le travail. Mais maintenant qu'il avait appris par le vieux Steeve que son personnel était au courant des intrigues d'Esther, il agirait en conséquence! Il ne s'attendrirait pas, même si la gouvernante le suppliait de la laisser rester. Avant, lorsque son épouse était là, c'était différent. Les liens entre les deux femmes justifiaient qu'il acceptât l'emprise de Rosa sur la maisonnée. Aujourd'hui il reprenait la barre du navire et il ne voyait pas qui l'en empêcherait! Maintenant qu'Esther était morte, sa fortune lui revenait de droit. Il se sentait assez grand pour la gérer tout seul. De toute façon, maître Colby lui apporterait toujours son concours pour le conseiller dans les affaires. John vouait une confiance illimitée à cet homme intègre. Il le lui avait déjà maintes fois prouvé.

Tout en consultant le Bottin, il saisit le téléphone et composa un numéro. Il commanda quatre chambres à l'hôtel Cook et, après, il appela le Service de la main-d'œuvre et demanda une bonne et une cuisinière de remplacement. « Pour le reste je verrai », décida-t-il.

Comme à son habitude, Rosa descendit la première. Elle fut étonnée de voir le maître de maison déjà installé devant son breakfast.

— Bonjour, monsieur, dit-elle, d'un air radouci. Vous êtes déjà levé?

— Comme vous le voyez, madame! J'ai préparé les chèques et les certificats pour vous et pour les autres. J'ai également réservé des chambres pour tout le monde pendant un mois. Je réglerai votre séjour personnellement. Ainsi vous pouvez partir immédiatement dès que Bob arrivera.

Stupéfaite, Rosa regarda John.

— Je ne pensais pas que vous étiez sérieux cette nuit quand vous nous l'avez annoncé, répondit-elle d'une voix sans timbre.

— Tout doit avoir une fin. Je veux mener ma barque comme je l'entends. J'en ai assez que l'on s'immisce dans mes affaires. Je ne suis plus un enfant.

— Vous nous regretterez, monsieur, fit la gouvernante d'un air pincé.

Son regard s'était à nouveau durci. Elle ajouta sauvagement :

— Je suppose que c'est cette étrangère qui vous tourne la tête...

Il sortit de ses gonds et hurla :

— Foutez-moi la paix! Allez dans votre cuisine. Vos considérations m'importent peu. Et quittez le cottage le plus vite possible, je vous ai assez vue!

La gouvernante n'en croyait pas ses oreilles. C'était

la première fois que M. Middleton élevait le ton de cette façon.

— Esther ne vous pardonnera jamais de nous chasser de son toit!

Il répliqua sèchement :

— Voilà plus d'un an que vous agitez cet épouvantail. Dorénavant, votre jeu est inutile. Ma femme est morte une deuxième fois, définitivement, le jour où j'ai appris sa trahison. Elle aussi, je la chasse désormais de ma mémoire. Hors de chez moi! Sachez une fois pour toutes que cette maison m'appartient. Est-ce clair?

Rosa éclata d'une rage folle :

— Cette maison appartient d'abord à vos filles. Esther m'avait demandé de veiller sur leur patrimoine et de m'assurer qu'à leur majorité elles recevraient la part qui leur revient. Vous n'avez pas le droit de tout garder pour vous!

— Ce ne sont pas vos affaires. C'est moi le père. Je me chargerai moi-même d'agir pour leur bien, en temps et en heure! Elles auront leur part d'héritage, et vous n'avez pas à vous en mêler!

Ulcérée, la gouvernante s'éclipsa vers l'office. Stella descendit avec Judith et Norma. Les petites filles, voyant leur père, se ruèrent vers lui et lui sautèrent au cou.

— Oh papa, mon papa, s'écria Norma folle de joie. Tu nous as apporté beaucoup de cadeaux?

— Bien sûr, mentit John, tout en pensant qu'il réparerait cet oubli. Je les ai commandés à Sydney, nous allons les recevoir bientôt. Maintenant, allez à l'office prendre votre petit déjeuner, je dois parler à Stella.

Judith et Norma obéirent. John expliqua à la bonne qu'elle était licenciée ainsi que ses collègues de travail. Celle-ci se mit aussitôt à sangloter, mais il resta insensible à ses pleurs. Il lui remit son chèque et son certificat.

— Allez me chercher Véra et Mario.

Un peu plus tard il avait procédé de la même manière avec les deux autres employés. Si Véra avait la larme à l'œil, en revanche, Mario n'avait pas l'air de s'en faire. Il dit à John :

— Cela ne me dérange pas du tout, Monsieur. Ici, je m'ennuyais trop!

— Alors tout est pour le mieux, mon ami.

John ajouta encore :

— Préparez tous vos affaires les plus indispensables. Quand Bob viendra tout à l'heure, il vous emmènera à Hobart où une chambre a été réservée pour chacun de vous.

Véra pleurait à chaudes larmes.

— Je ne comprends pas, Monsieur, dit-elle de sa voix dolente.

John resta impavide.

— N'essayez pas de comprendre, c'est ainsi.

Les employés allèrent prendre leur breakfast avant de préparer leurs bagages. Judith et Norma revinrent dans le salon.

— Aujourd'hui vous n'irez pas au collège. Allez jouer dans le jardin.

Elles partirent en courant et en sautant de joie. Soudain John s'inquiéta. Il était déjà neuf heures et Eliane n'était pas encore descendue. Il traversa le salon en toute hâte et grimpa les marches quatre à quatre. Il se trouva devant la porte de la jeune fille. Comme il n'entendait pas de bruit il cogna, mais il n'y eut pas de réponse. Il décida d'entrer. Une fraîche pénombre régnait dans la pièce. Il se dirigea vers la fenêtre et écarta les rideaux. Une clarté blafarde fusa dans la chambre.

John vit Eliane allongée sur le lit. Elle portait les mêmes vêtements que la veille, quand il l'avait apportée à la suite de son évanouissement.

— Eliane, Eliane! appela-t-il à mi-voix.

La jeune fille restait immobile, inerte. Une pâleur

cadavérique fardait son visage. Il s'approcha d'elle. « Elle respire; j'ai eu peur! » pensa-t-il.

Eliane prononça quelque chose d'inaudible, qu'il ne put saisir. Elle répéta sa phrase une nouvelle fois.

— Il faut que je m'en aille... Esther m'a chassée.

« Mais elle délire! » comprit-il soudain.

Il lui prit le poignet. Son pouls battait à une cadence anormale, effrénée. Il posa sa main sur le front de la jeune fille. Il était brûlant et inondé de sueur. « Elle a la fièvre, il faut immédiatement un docteur, se dit-il angoissé, il ne manquait plus que cela! »

John quitta la pièce d'un pas pressé et redescendit dans le salon. Il prit le téléphone et composa un numéro.

— Allô, Mademoiselle, je voudrais le docteur Willy, de la part de Middleton. C'est urgent! ajouta-t-il sèchement.

— Bien, Monsieur, répondit son interlocutrice d'une voix chantante.

Au bout d'un moment, le docteur Willy était en ligne. John lui demanda de venir rapidement ausculter la malade et d'amener une infirmière avec lui. Le docteur était d'accord. Il viendrait dans la matinée.

Bob arriva comme tous les jours.

— Bonjour, Monsieur, dit-il en entrant.

— Ah, Bob, ce matin mes filles ne partent pas au collège, par contre vous aurez des passagers. Je tiens à vous informer, qu'à part vous, je congédie tout le personnel de la maison.

Bob resta interdit. John continua :

— Je vous expliquerai plus tard la raison de ma décision. Pour l'instant vous emmènerez tout ce petit monde à Hobart, à l'hôtel Cook, où j'ai réservé quatre chambres pour eux.

— Entendu, Monsieur, bredouilla le jeune homme, interloqué par ce qu'il venait d'apprendre.

Au même moment, le quatuor italien descendit dans

le salon en transportant des valises et des sacs. Rosa fulminait de rage. Elle parlait à voix haute, comme pour elle-même, mais dans le but précis de se faire entendre.

— Je me vengerai! Esther nous vengera! Cela ne se passera pas ainsi!

Les autres se taisaient. Ils sortirent sur le perron devant lequel la Ford était garée. Bob voulut saisir la valise de Rosa.

— Ce n'est pas la peine, je partirai d'ici la tête haute! maugréa-t-elle.

Debout, John, sans dire un mot, regardait son personnel s'engouffrer dans la voiture. Stella et Véra essuyaient leurs larmes, tandis que Rosa et Mario serraient les dents. Leurs visages étaient de glace.

La voiture démarra lentement. Les pneus crissèrent, faisant jaillir des graviers.

Ayant entendu le bruit du moteur, Judith et Norma, qui jouaient derrière le cottage, revinrent en courant. Sans comprendre ce qui se passait, elles firent des signes de la main, mais personne ne leur répondit. John suivit des yeux la Ford qui s'éloignait et qui franchissait le portail en fer forgé. En poussant un long soupir de soulagement, il dit tout haut :

— Me voilà débarrassé de cette horrible femme et de ses complices!

Judith et Norma s'approchèrent de lui.

— Mais... qui c'est qui est parti à notre place avec Bob? demanda Judith.

— C'est le personnel. Ils partent en vacances.

— Alors, on va rester tout seuls? s'inquiéta Norma.

— Mais non. J'attends une nouvelle cuisinière et une autre bonne.

John se mit à songer à Eliane qui, seule dans sa chambre, délirait. « Je vais lui faire du thé », pensa-t-il avec tendresse. Il rentra à l'intérieur du cottage et alla vers l'office. Il se sentait gai. C'était comme si on l'avait soulagé d'un grand poids. Dorénavant ce serait à lui de diriger cette maison. Enfin il en avait pris conscience.

Affairé dans la cuisine, John entendit tout à coup le ronronnement d'un moteur d'avion. Il alla dans le salon et regarda dans le ciel. Il vit un petit avion dans le bleu de l'azur. « C'est le toubib! se dit-il. Il n'a pas mis longtemps; tant mieux. »

John sortit, monta dans la jeep de service et fonça à la rencontre du nouvel arrivant.

L'avion se posait sur la petite piste.

Le docteur Willy coupa le moteur et son avion s'immobilisa à la hauteur du *Tander* de John. Déjà le docteur sautait à terre, une serviette en cuir brun à la main. Une jeune fille aux cheveux pâles l'accompagnait.

— Merci d'être venu si vite, Docteur, s'écria John en descendant de la jeep.

— Allons-y! fit le docteur, puis désignant la jeune fille qui était avec lui : Voici Muriel, une de mes infirmières les plus dévouées.

Ils se serrèrent tous la main et montèrent en vitesse dans le véhicule. Le docteur Willy avait la cinquantaine bien tassée. Il était connu dans la région pour ses diagnostics infaillibles. John le connaissait de longue date. C'était lui qui avait accouché Esther des deux petites filles et, par la suite, était devenu leur médecin de famille.

— Qui est malade? demanda le docteur Willy.

— Une jeune fille que j'ai fait venir d'Europe pour apprendre le français à mes filles. Comme je vous l'ai dit au téléphone, il me semble qu'elle a une forte fièvre.

— Ne supporterait-elle pas le climat de notre pays?

Le docteur regarda John l'air grave.

— Une fièvre dites-vous? Pas d'autres symptômes?

— Elle délire. Je crois qu'elle est dans le coma.

— Depuis quand?

— Hier soir, elle s'est évanouie. J'ai eu juste le temps de lui éviter de tomber dans l'escalier. Ensuite je l'ai portée dans sa chambre; elle avait l'air de dormir. Ce matin, ne la voyant pas descendre je suis allé voir ce qui se passait. Elle délirait dans son lit.

— Je vais l'examiner.

Cinq minutes plus tard le docteur Willy se trouvait au chevet de sa patiente. Celle-ci divaguait.

— La voix de la morte... la voix...

Le médecin, après avoir tâté le pouls de la jeune fille, lui prit sa tension et lui souleva une paupière. Il se tourna ensuite vers John en hochant la tête.

— C'est un cas de fièvre cérébrale, annonça-t-il, il faut traiter ça très vite.

Fou d'inquiétude, John le regarda.

— Est-ce grave?

— Assez. Mais elle est jeune, son organisme réagira. Je pense qu'elle s'en sortira.

— A votre avis, Docteur, d'où viendrait cette fièvre? Un virus?

Le docteur Willy haussa les épaules.

— Pour moi, cette petite a reçu un choc émotif violent.

Il se tourna vers l'infirmière :

— Muriel, passez-moi ma trousse. Préparez-moi une piqûre antipyrétique. Pour le reste, on va la traiter aux sulfamides et antibiotiques comme pour une méningite. Plus quelques calmants pour supprimer l'angoisse.

Il regarda John qui semblait frappé de stupeur.

— Allons, monsieur Middleton, je vous dis qu'elle s'en sortira, dit-il encore.

— Docteur, vous savez mieux que moi ce qu'il faut faire pour la guérir.

A ce moment Judith et Norma firent irruption dans la chambre. John les gronda :

— Retournez vite dans le jardin ou alors le docteur va s'occuper de votre cas!

Aussitôt, elles battirent en retraite. La crainte du docteur dépassait leur curiosité.

— Elles ont bien grandi, monsieur Middleton! s'exclama le docteur Willy, admiratif.

— Elles ont neuf et huit ans maintenant.

— Il est déjà loin le moment où j'ai accouché votre femme.

Il prit un air de circonstance et ajouta :

— Retirez-vous un instant, je vais faire ma piqûre.

John sortit dans le couloir et se réfugia dans la chambre de ses filles. Judith et Norma lisaient des illustrés.

— Dis, papa, Eliane est malade? questionna Judith.

— Oui, il faut que vous soyez silencieuses, vous me le promettez?

— Oui, papa, répondirent en chœur les fillettes.

— Vous pouvez revenir, clama le docteur Willy.

John revint dans la chambre d'Eliane.

— Elle a l'air plus calme. Sa respiration semble plus normale. Muriel va rester pour surveiller sa température toutes les demi-heures. Quant à moi, je suis obligé de repartir immédiatement, mes malades m'attendent à la clinique.

— Vous ne pensez pas, Docteur, qu'il est nécessaire de l'hospitaliser?

— Nous verrons. Pour l'instant il est préférable de ne pas la déplacer.

Tout en parlant, il rangeait ses affaires dans sa serviette.

— Muriel, je vous laisse. Tenez-moi au courant si un événement nouveau intervenait.

— Entendu, Docteur.

John raccompagna le docteur Willy jusqu'à son

avion. Les deux hommes échangèrent une franche poignée de main.

— A bientôt, Docteur, et merci pour tout.

— Vous me remercierez quand votre malade sera guérie! Mais ne soyez quand même pas trop inquiet.

Songeur, John regagna le cottage tandis que l'avion du docteur s'avançait sur la piste.

## CHAPITRE XI

APRES avoir préparé le déjeuner, Muriel vint s'asseoir à la grande table du salon. Judith et Norma avaient mis le couvert. John était assis et feuilletait le journal du jour. Devant lui, une pile de courrier attendait d'être décachetée.

— Je m'excuse, mademoiselle, de vous obliger à dépasser vos fonctions en vous demandant de faire la cuisine.

— Oh! Monsieur, bien au contraire, cela m'a fait plaisir.

Il la regarda d'un air rempli de sollicitude.

— Comment va notre malade?

— Sa respiration redevient normale. D'après mes observations, son état devrait s'améliorer rapidement.

— Sa fièvre est-elle toujours aussi élevée?

— Non, elle régresse et c'est bon signe.

— Vous m'en voyez ravi, mademoiselle.

Il la regarda gravement.

— Pensez-vous, comme le disait le docteur Willy, qu'elle sortira de cette léthargie?

— Je le pense sincèrement, monsieur. J'ai déjà vu des cas semblables dits de « coma léger », dus en général à un grand choc nerveux. Notre malade est jeune et en bonne santé. Elle doit pouvoir résorber cette fièvre.

— A quelles causes attribuez-vous ce phénomène?

— Comme vous l'a déjà dit le docteur Willy, c'est une réaction due à la peur, à une émotion...

John ne l'écoutait plus. Il pensa confusément qu'il avait bien fait de chasser ses employés. Car si Eliane en était à ce point, elle qui paraissait si émotive, comme il avait pu s'en rendre compte plusieurs fois, ce ne pouvait être, à son avis, que la faute de Rosa et de ses acolytes.

« J'ai bien fait de les licencier, se dit-il, autrement j'aurais été moi-même la victime de leurs agissements. » En lui-même, il ne savait pas exactement quel était l'objet de sa suspicion, seul son instinct lui avait dicté ce geste. En outre il n'oubliait pas qu'ils s'étaient tous moqués de lui, en lui dissimulant par tous les moyens la liaison d'Esther avec Van Hutter! Il avait beau être bon prince, gentil avec tout le monde, il arrivait parfois qu'une goutte de trop fasse déborder le vase.

Le problème immédiat qui se posait, en dehors de la maladie d'Eliane, c'était qu'il n'avait plus de personnel pour s'occuper de la maison. Par chance la jeune infirmière s'était appliquée à préparer un excellent repas, bien que ses fonctions fussent différentes.

Allaient-elles venir, ces deux personnes qu'il avait réclamées depuis le matin? Il en était à ce stade de réflexion quand la sonnerie de l'entrée tinta. Il se leva et alla ouvrir. Il vit devant lui deux jeunes femmes. Du premier coup d'œil, il jugea qu'elles étaient agréables. L'une d'elles déclara :

— Nous sommes envoyées par le Service de la main-d'œuvre.

— Entrez, je vous prie.

Les deux femmes entrèrent dans le salon.

— Venez avec moi, dit-il.

Il les devança et entra dans le petit salon. Judith et Norma finissaient leur repas. Muriel leur demanda :

— Mais comment se fait-il qu'il n'y a pas de domestiques?

— Ils sont partis en vacances ce matin, la renseigna Judith.

— Ce matin? Comme c'est curieux. Justement au moment où il y a une malade dans la maison?

— C'est ce que papa nous a dit! ajouta Norma d'un ton sans réplique.

John revint dans le salon et accompagna les deux nouvelles employées jusqu'à leur chambre.

— Voilà, dit-il, maintenant vous connaissez la maison et son règlement. Je vous laisse vous familiariser avec les lieux. A ce soir.

Il redescendit dans le salon. Au même moment, le téléphone sonna.

— Monsieur Middleton? C'est maître Colby.

— Bonjour maître. Qu'y a-t-il?

— Nous sommes convoqués à huis clos, pour l'affaire Van Hutter.

— Quel jour?

— Vendredi à quatre heures.

— Mais c'est demain!

— Je vous attendrai devant l'entrée. Au revoir, monsieur Middleton.

John raccrocha. Au même instant Bob entra.

— Alors comment cela s'est-il passé?

— Parfaitement bien, monsieur! Les chambres étaient prêtes. Tous ont pu en prendre possession sur-le-champ.

— Tant mieux. Vous viendrez me chercher demain à deux heures, car je suis convoqué au tribunal. Pour l'instant je n'ai pas besoin de vous. Vous pouvez rentrer.

— C'est vrai que mademoiselle Eliane est souffrante?

— Ne vous inquiétez pas pour ça. Je me suis occupé de sa santé; enfin c'est plutôt Muriel qui s'en occupe.

Il désigna l'infirmière.

— Bonjour, mademoiselle, dit le jeune homme à l'adresse de la nouvelle venue.

Celle-ci se leva et monta l'escalier pour apporter ses soins à Eliane.

— A demain, monsieur, dit Bob en quittant la pièce.

Il avait l'air un peu décontenancé par tant de changements.

— Vous deux! dit John en s'adressant à ses filles, nous avons une nouvelle bonne et une nouvelle cuisinière, je vous demande instamment d'être très polies avec elles. Maintenant, montez dans votre chambre et faites une révision de français sans faire de tapage. Je compte sur vous.

Judith et Norma, silencieuses, obéirent à leur père et partirent vers l'étage. John continua à décacheter son courrier. Une lettre de Van Hutter lui était adressée. Il lut.

« Cher monsieur,

Je tiens à vous préciser que les révélations de votre berger, monsieur Steeve, sont rigoureusement exactes. Principalement en ce qui concerne mes relations avec Esther. De nombreuses personnes étaient au courant, même votre personnel. Moi-même, je pensais que vous le saviez. Sans vouloir vous blesser ni vous offenser, nous pensions tous que ce qui vous intéressait le plus, c'était le domaine apporté en dot par votre femme. Je peux vous dire, d'homme à homme, qu'Esther ne vous aimait plus. Je me suis demandé d'ailleurs, finissant par la connaître, qui pouvait-elle aimer? Pourtant, j'ai été son amant, mais malgré tout je me suis aperçu qu'elle était avare de sentiments.

En ce qui concerne les terrains dont je demandais la restitution, je me suis rendu à l'évidence. Les documents n'étaient pas justifiables. La contre-expertise l'a prouvé.

Aussi je retire ma plainte contre vous. Une séance à huis clos aura lieu vendredi à quatre heures. Je voudrais d'ores et déjà vous présenter mes excuses pour l'ensemble des torts que j'ai pu vous occasionner.

Croyez en ma cordialité et à mon repentir.

Van Hutter. »

John passa sa main sur son front. Il était abasourdi par le contenu de la lettre qu'il venait de lire. Van Hutter avait l'air de ne pas être aussi pervers que les mauvaises langues le laissaient entendre.

Son tort avait été de s'éprendre d'Esther. Elle avait toujours eu le goût de dominer. Ses désirs devaient se réaliser quoi qu'il en coûtât aux autres. Il pensa à son mariage et eut immédiatement le sentiment qu'il avait agi inconsciemment, sans se rendre compte de ce qui lui arrivait. Tout s'était passé sans lui. Esther avait jeté son dévolu sur lui, et il n'avait pas été question qu'il refusât.

Tout en réfléchissant, il comprenait combien, depuis le début, Esther l'avait manœuvré. Il avait été aveugle, idiot, imbécile! Progressivement sa colère se mua en un rire nerveux. De cascade en cascade, le fou rire le prit et atteignit un paroxysme délirant. N'y tenant plus, il se leva et sortit dans le jardin. L'air frais du soir le calma. Il put se maîtriser. Il regarda d'un coup d'œil circulaire son domaine et murmura :

« Qu'est-ce que cela peut me faire de posséder tout ce territoire! Je n'en ai pas besoin. Je désire autre chose dans la vie. Mais ce n'est pas ici que je le trouverai! »

— Monsieur, monsieur!

Il leva la tête et vit Muriel qui, du haut de la fenêtre, lui faisait des signes. Il comprit qu'il y avait du nouveau. Courant comme un bolide, il se rua à l'étage supérieur et entra dans la chambre d'Eliane.

— Que se passe-t-il? demanda-t-il, essoufflé.

— John! souffla la jeune fille, le visage pâle, avec des yeux brouillés. Dieu merci! Vous êtes là!

Il ne sut que répondre. Il regarda Eliane tendrement.

— Comment vous sentez-vous?

— Je ne sais ce qui m'est arrivé, j'ai l'impression d'avoir vécu un cauchemar.

— Ne vous tourmentez plus, Eliane! Vous allez vous remettre de tous ces maux. Muriel est là pour vous soigner.

La jeune fille esquissa un pâle sourire en direction de l'infirmière, puis s'adressant à John elle dit d'une voix faible :

— John, j'ai besoin de vous savoir près de moi. Vous me rassurez.

Il eut un air ravi et répondit avec douceur :

— Il vous faut du calme. Et vous en aurez car je vous signale que j'ai donné congé à la plus grande partie de mon personnel. J'ai compris que ces gens étaient néfastes et qu'ils vous perturbaient.

La jeune fille n'en revenait pas. Elle eut la force de demander :

— Mais alors, Rosa n'est plus au cottage?

— Non, ni les autres. C'est-à-dire Mario, Stella et Véra.

Eliane s'inquiéta subitement :

— Comment allez-vous faire? Qui va s'occuper de la maison?

— J'ai déjà deux remplaçantes. Une cuisinière et une bonne.

Il se tourna vers l'infirmière :

— Et en plus nous avons le plaisir d'avoir Muriel avec nous. Une infirmière qualifiée et dévouée.

Muriel répondit par un sourire reconnaissant. Elle ajouta :

— Vous exagérez, monsieur Middleton.

John interrogea Eliane :

— Je suppose que vous devez avoir faim?

— Oui, John, je crois que je mangerai bien un petit en-cas.

— Je vais donner des ordres en conséquence, dit-il en sortant de la pièce.

A l'office il demanda aux nouvelles employées de faire du thé, de préparer des toasts et de les monter ensuite à la jeune fille.

Le téléphone se mit à grésiller dans le salon. Au bout de la ligne, le vieux Steeve, anxieux, venait aux nouvelles.

— J'ai appris que mademoiselle Eliane était malade?

— Ne t'en fais pas, mon vieux, elle va beaucoup mieux. Au fait, je voulais te remercier. Tes révélations m'ont permis de faire le ménage. J'ai expédié le clan des Italiens en vacances à la campagne. En fait, c'est une gageure, car c'est à Hobart!

— Je ne l'aurais jamais imaginé, monsieur! s'exclama l'autre, radieux.

John lui précisa :

— N'oublie pas que demain nous retournons au tribunal pour en finir avec l'affaire Van Hutter.

Il raccrocha. Judith et Norma firent irruption dans le salon.

— Vous pouvez monter voir Eliane. Je crois qu'elle sera contente de vous recevoir. Elle a l'air d'aller mieux.

Les petites filles partirent en courant vers l'escalier. John les regarda s'éloigner, une expression de contentement dans le regard. « On dirait que l'air est devenu respirable dans cette maison, depuis que les Italiens ne sont plus là! se dit-il. D'autre part Van Hutter fait amende honorable. La situation s'éclaircit. »

Il eut l'impression d'un grand calme, d'une détente qui s'amorçait.

## CHAPITRE XII

ILS étaient assis tous les trois, dans l'arrière-salle du bar de l'hôtel Victoria. John, maître Colby et Van Hutter. Ce dernier n'avait pas jugé utile que son avocat fût de la partie.

John n'aurait pas voulu rencontrer son adversaire dans un lieu si intime, mais il avait fini par céder à la demande de maître Colby.

— A votre santé, messieurs! lança Van Hutter, l'air détendu, et en présentant sa coupe de champagne. Permettez-moi de porter un toast à cette douloureuse affaire qui se termine.

John répliqua aussitôt :

— Elle n'aurait même pas dû commencer, monsieur Van Hutter!

— Je ne pouvais pas savoir que les documents en ma possession étaient périmés.

— Vous auriez dû vous en douter, un homme d'affaires comme vous, dont la réputation n'est plus à faire...

— L'expertise l'a prouvé, déclara maître Colby, ces documents n'ont plus cours aujourd'hui, comme vous avez pu le constater vous-même.

— C'est bien pour ça que j'ai retiré ma plainte, dit Van Hutter.

— Elle n'avait pas lieu d'être maintenue, répondit John d'un ton railleur.

Chacun but une gorgée de son verre de champagne. John reprit :

— Quoi qu'il en soit, cette affaire m'a permis d'apprendre et de comprendre beaucoup de choses...

John s'arrêta de parler. Son visage s'assombrit légèrement. Il poursuivit tandis que Van Hutter évitait de le regarder :

— Au sujet de vous et d'Esther par exemple.

Bien que terriblement gêné, son interlocuteur voulut s'expliquer :

— Je me sens honteux vis-à-vis de vous et vous y avez voulu que nous parlions de votre femme, je vous précise sur mon honneur que c'est elle qui a voulu cette liaison.

John comprit que Van Hutter ne mentait pas. Esther avait toujours eu un caractère conquérant et un esprit dominateur. Même pour lui, ce fut de cette façon qu'elle s'y était prise pour arriver à ses fins et l'épouser. Aussi décida-t-il de ne pas tenir rigueur à l'homme qui était en face de lui.

Van Hutter était séduisant, il avait dû plaire à Esther et elle avait jeté son dévolu sur l'éleveur de chevaux. Elle faisait ainsi d'une pierre deux coups. L'amant et les pur-sang!

— J'accepte vos excuses. Vous n'êtes pas le seul responsable dans cette sinistre comédie. Et puis cette histoire appartient déjà au passé. Je l'ai enterrée, comme je l'ai fait une deuxième fois pour Esther.

Van Hutter eut l'air d'apprécier la réponse de John.

— Je vous remercie d'être si compréhensif et indulgent.

John finit sa coupe et se leva.

— Au revoir monsieur.

Il fit une pause et regarda l'éleveur de chevaux.

— J'espère que nous n'aurons plus l'occasion de nous rencontrer!

L'autre se dressa également sur ses jambes, imité par maître Colby.

— Au revoir, monsieur Middleton.

John salua son rival d'un signe de tête et quitta la salle en compagnie de son avocat.

— J'ai remarqué que vous avez évité de lui serrer la main, chuchota maître Colby.

— Je tiens à garder mes distances avec ce monsieur.

— Ce qui m'étonne, c'est que vous avez bien voulu boire un verre avec lui!

— N'oubliez pas, maître, que c'est vous qui avez insisté pour que je le rencontre face à face. En ce qui concerne la question du verre, c'était pour clore cette affaire sur une note gaie.

Les deux hommes se retrouvèrent dans la rue. Bob et le vieux Steeve attendaient dans la Ford. Après avoir serré la main de maître Colby, John s'installa à côté du chauffeur. Le vieux Steeve était assis à l'arrière du véhicule.

— A bientôt! dit l'avocat en se dirigeant vers sa voiture.

— On rentre! dit John pensif.

Il était tout de même satisfait d'en avoir fini avec Van Hutter. Cet individu, aussi séduisant qu'il fût, ne lui inspirait pas pour autant une grande sympathie. Il avait rêvé d'obtenir les lopins de terre, mais le tribunal, ayant jugé sa plainte irrecevable, avait prononcé un non-lieu. C'était lui, John, qui gagnait sur toute la ligne, d'autant plus que cette histoire lui avait permis de chasser une fois pour toutes Rosa et sa clique.

La Ford roulait à vive allure dans le crépuscule naissant. Personne ne parlait. Ce fut à deux kilomètres de leur destination que l'incident se produisit. Bob aperçut tout d'un coup une fumée noire qui s'élevait très haut dans le ciel. Il s'écria :

— C'est un incendie!

La phrase prononcée par le chauffeur tira John des réflexions dans lesquelles il s'était plongé pendant le trajet. Il regarda vers le point où la fumée montait dans le ciel. Il comprit immédiatement. Affolé il cria à Bob :

— Fonce imbécile! Mets toute la gomme! Le cottage brûle!

— Bon Dieu! Mais c'est vrai! admit le vieux Steeve, dépêchons-nous!

— Pourvu qu'on arrive à temps! ajouta John dont le visage était devenu blême.

A mesure que la Ford approchait du cottage, la nuit s'épaississait. Des flammes surgissaient dans le ciel. Quelques instants plus tard la voiture passa en trombe le portail en fer forgé. Les roues dérapèrent sur le gravier quand Bob freina pour stopper le véhicule.

Le spectacle qui s'offrait à leur vue était catastrophique. Tout le premier étage était envahi par les flammes. Un brouillard d'une épaisse fumée entourait la maison. John sauta à terre le premier. Les deux autres l'imitèrent. Ils bondirent tous à l'intérieur. Des cris venaient du premier étage. La maison était dévorée par les flammes. Dans le salon, la panique régnait. Les deux nouvelles domestiques, égarées, essayaient de porter des seaux d'eau par le grand escalier où en haut des marches, Muriel, armée d'un extincteur, luttait contre un rideau étincelant qui la séparait des chambres.

— Où sont mes filles? hurla John, où est Eliane?

— En haut, cria la cuisinière complètement affolée.

John s'élança et grimpa l'escalier à toute vitesse. Il arriva devant l'infirmière et lui arracha l'extincteur des mains.

— Reculez! ordonna-t-il.

Une fumée à l'odeur âcre les empêchait de respirer. Au milieu des crissements et des craquements sinistres, John entendit des appels au secours. Il plongea dans le brasier en plaquant son mouchoir sur son visage. Il put atteindre la chambre de Judith et de Norma. D'un geste rapide il défonça la porte d'un coup d'épaule. Les deux enfants hurlaient de peur, blotties contre la fenêtre que les flammes n'avaient pas encore atteinte. Il saisit Judith et Norma, chacune sous un bras et retraversa le rideau de flammes.

— Occupez-vous d'elles! ordonna-t-il à l'infirmière qui jetait les seaux d'eau apportés par les autres, contre les parois du couloir.

Bob, armé d'un extincteur, envoyait des jets de neige carbonique.

John fonça à nouveau dans la fournaise à la recherche d'Eliane. Au moment où il arrivait devant la porte de la chambre de la jeune fille, une poutre enflammée s'abattit sur le sol. Il l'évita de justesse. Il entra dans la pièce et vit Eliane étendue sur le sol, évanouie, au milieu de la fumée. Il se précipita sur elle et la souleva dans ses bras. Il revint péniblement sur ses pas avec son fardeau. Il réussit à passer une nouvelle fois le brasier. La chaleur était torride et suffocante. Une partie du couloir, rongée par le feu, s'écroula.

Il descendit l'escalier, traversa le salon et gagna la sortie. Les autres étaient déjà dehors. La chaleur dégagée par les flammes devenait si forte que même à l'extérieur on aurait pu se croire dans un four.

— Allez tous vers le portail! cria John tout en portant la jeune fille. Il la déposa sur la pelouse.

Judith et Norma poussaient des cris et pleuraient. L'infirmière et les deux employées se crampronnaient l'une à l'autre, hagardes. Bob et le vieux Steeve essayaient avec un tuyau d'arrosage de lutter contre l'incendie qui se propageait vers le bas de la maison.

— Revenez ici! Laissez tomber! hurla John tout en faisant des mouvements respiratoires à Eliane.

Il comprenait que ce n'était plus la peine d'insister pour éteindre l'incendie.

Le cottage était perdu. John tapota la joue de la jeune fille et celle-ci finit par rouvrir les yeux.

— Ça va? demanda-t-il en essayant de reprendre son souffle. Il l'aida à se relever. Allez près du portail avec les autres. A cet endroit, vous ne risquerez plus rien.

Il regarda sa chemise à moitié brûlée. Lui aussi avait sur le corps des marques de brûlures, mais pour l'instant il n'en sentait pas encore la douleur.

— C'est trop tard pour dégager la Ford et la jeep, dit Bob, reculons encore car elles vont probablement exploser!

Des sirènes de voitures de pompiers se firent entendre.

— Ils arrivent trop tard, grogna le vieux Steeve.

— Le feu a pris une telle ampleur que le cottage est tout à fait perdu, dit John, accablé.

Les flammes émergeaient du toit et des fenêtres, dans des craquements bruyants. Le ciel était rouge.

John eut un regard attristé vers le cottage qui n'était plus qu'un grand brasier.

— Nous n'avons plus de maison, pleurnicha Norma.

Il caressa ses cheveux blonds et la rassura :

— Nous en construirons une autre, encore plus belle, ma chérie.

En fait, il n'en était pas convaincu. Il pensait que ce grand malheur était peut-être un bien.

— Quelle catastrophe! lança Bob, les yeux écarquillés.

— C'est foutu! dit le vieux Steeve, complètement anéanti.

Le cottage s'écroulait sous les flammes comme un château de cartes.

Au même moment deux camions et trois voitures de pompiers arrivèrent sur les lieux. Sans attendre les véhicules prirent position autour du cottage. Des hommes armés de lances d'incendie commencèrent à neutraliser le sinistre. La neige carbonique éteignit peu à peu les flammes. Seule, une fumée sombre continuait à monter dans l'atmosphère. Il ne restait de cette belle maison que des débris calcinés.

Eliane eut une pensée pour les magnifiques toiles de maîtres de la collection de John qui avaient été détruites par les flammes. Elle avait eu un penchant pour l'une d'elles, peinte par le paysagiste Streeton.

Le capitaine des pompiers vint près du groupe.

— Capitaine Paterson, déclina-t-il.

— Enchanté, capitaine, dit John, je suis le maître de maison, du moins je l'étais.

John avait parlé d'une voix morne et dépitée.

— Avez-vous une idée de la manière dont ce sinistre a commencé? demanda le capitaine Paterson.

— Pas le moins du monde. Je suis arrivé alors que les flammes envahissaient tout l'étage.

— Le feu s'est répandu à une vitesse extraordinaire, comme si on avait jeté de l'essence dans le couloir, annonça Muriel.

— Ce pourrait donc être une main criminelle qui serait à l'origine de cet incendie? supposa le capitaine des pompiers, l'air pensif.

— Cela me paraît improbable! Qui aurait donc voulu brûler le cottage?

— Où dormirons-nous maintenant? dit la petite voix de Norma.

Le commandant des pompiers s'approcha.

— Alors, Paterson, quelles sont vos conclusions?

Le capitaine Paterson présenta son supérieur hiérarchique :

— Voici le commandant Elkin.

John salua l'homme en uniforme d'un signe de tête. Le capitaine reprit :

— Il pourrait s'agir d'un acte criminel!

— Nous ferons faire une enquête par nos spécialistes, promit le commandant Elkin. Pour l'instant, vu l'état des lieux, il n'y a rien à faire sinon regagner Hobart.

Il se tourna vers John.

— Comme je pense que vous ne voulez pas passer la nuit ici, nous vous emmenons avec nous.

— Je vous remercie, mon commandant.

— Voyez ça avec Paterson, dit celui-ci en tournant les talons.

John se mit à penser au personnel qu'il avait licencié. Serait-ce le quatuor qui aurait agi de la sorte? « Quelle coïncidence, quand même », songea-t-il. Il essaya de chasser cette supposition de son esprit. Un acte criminel de cette envergure ne pouvait être que l'œuvre d'un pyromane ou d'un fou. Pour l'instant il n'avait plus de maison. Il n'y avait plus qu'à partir pour Hobart.

Les pompiers se réinstallaient dans leurs véhicules. Ils avaient pris à bord les naufragés du sinistre. John était assis sur le siège avant d'un camion avec le vieux Steeve. Le chauffeur s'apprêtait à mettre le moteur en route quand soudain un ricanement démoniaque s'entendit dans la nuit.

## CHAPITRE XIII

— QU'EST-CE que c'est? demanda John.

— Je ne sais pas mais c'est étrange! On dirait le ricanement d'une hyène, dit le vieux Steeve.

Ils descendirent de voiture. Les autres occupants des véhicules, ayant aussi entendu ce cri bizarre, en firent autant. Le commandant Elkin et le capitaine Paterson s'approchèrent de John et du vieux berger.

— Qui a crié de la sorte? demanda l'officier supérieur.

Il fut interrompu par une voix sépulcrale déchirant la nuit :

— Je vous avais prévenu que je me vengerais! fit-elle dans une cascade de ricanements hystériques.

— Seigneur! On dirait la voix de Rosa! s'exclama John.

Il regarda les autres et ajouta d'un air stupéfait :

— C'est ma gouvernante. Elle est devenue folle! Je l'ai congédiée et pour se venger, elle a mis le feu au cottage!

— Il faut arrêter cette criminelle! s'écria le capitaine Paterson, partant d'un sentiment d'indignation.

Eliane accourut près de John, suivie par Bob et les deux petites filles.

— John, dit la jeune fille effrayée, j'ai reconnu la voix de Rosa!

— Moi aussi. Il n'y a pas de doute, c'est elle! affirma-t-il.

De nouveaux ricanements saccadés s'égrenèrent dans la nuit, puis sur un ton lugubre, Rosa cria :

— Les bergeries vont connaître le même sort!

Une seconde après une voiture démarra en faisant crisser ses pneus.

— Il faut l'en empêcher, commandant! intervint John.

— Ce n'est pas dans mes attributions d'arrêter les incendiaires. C'est plutôt du ressort de la police!

— Mais elle va mettre le feu à mes bergeries! Nous perdons du temps à tergiverser!

Il regarda le capitaine Paterson avec insistance. Ce dernier s'adressa à son supérieur.

— Mon commandant, si vous m'en donnez l'autorisation, je peux aller là-bas avec ma voiture?

Le commandant Elkin réfléchit pendant quelques secondes. Ensuite, il regarda son subalterne et lui dit :

— Bon, Paterson, je vous laisse toute l'équipe de feu. Moi, je rentre à Hobart. Vous me ferez un compte rendu par écrit du déroulement de votre intervention.

— Entendu, mon commandant, et merci.

Il lança un regard complice à John.

— Mon commandant, demanda John, pouvez-vous emmener mes filles et mes employées avec vous?

— Volontiers.

— Je vous demande alors de les déposer à l'hôtel Victoria et de me faire réserver encore quatre chambres.

— Comptez sur moi, monsieur.

— Merci, commandant.

John embrassa ses filles. Le capitaine Paterson donna ses ordres :

— Tous en route!

— Je viens avec vous, John, si vous me le permettez? dit Eliane.

— Bon venez, vous aussi, Steeve. Nous monterons dans la voiture du capitaine.

Il s'adressa à Bob :

— Montez dans le premier camion.

— Bonne chance! lança le commandant Elkin.

Le convoi s'ébranla. Il s'engagea sur la route de terre battue menant aux bergeries. La nuit était opaque. Les faisceaux des phares éclairaient l'immense étendue des plantations de pommiers bordant les deux côtés de la route.

— Elle a de l'avance sur nous, dit John en parlant au capitaine qui était au volant, j'espère que nous arriverons avant qu'elle ne mette encore le feu.

— Je ne peux aller plus vite, monsieur Middleton, répondit-il, la route est trop cahotante.

— Tournez à droite après le carrefour, indiqua le vieux Steeve, c'est un raccourci.

John regarda Eliane tendrement et lui prit la main. Elle sentit la chaleur de la paume de l'homme, et tressaillit. Il lui dit d'une voix chaude et caressante :

— Vous avez subi de douloureuses épreuves ces derniers jours. J'espère qu'à partir de maintenant, votre vie sera plus calme.

Elle lui sourit, les yeux brillants de joie.

— J'espère aussi que le cauchemar va se terminer.

John avait craint pour la vie de la jeune fille autant que pour Judith et Norma. Heureusement il était arrivé à temps pour les sauver toutes les trois. Maintenant, il savait que c'était Rosa, la criminelle. Tout était remis en question. Il fallait l'empêcher d'incendier les bergeries.

— Nous approchons, annonça le vieux Steeve.

Au même instant une lueur s'éleva à l'horizon.

— Bon Dieu! Les bergeries sont en feu. Pour l'instant c'est la partie de droite, celle où se trouvent les granges à fourrage. De ce côté-là, il n'y a pas de bêtes, mais de l'autre, les baraquements touchent les enclos.

Les moutons et les vaches vont s'affoler. Ce sera la panique!

— Nous arrivons trop tard! Cette folle se venge comme une enragée!

John regardait l'immense clarté qui illuminait le ciel. Ses yeux avaient une expression farouche. Eliane serra sa main en silence. Elle n'osait parler. Le capitaine Paterson donna ses ordres dans le micro de la radio.

— Tous à vos postes! Les pompes sur le côté gauche en priorité.

Le convoi arriva enfin sur les lieux. Ça flambait de partout. Les deux bergers qui gardaient les moutons actionnaient déjà une lance branchée sur le puits où un moteur actionnait un système de pompage de l'eau. Les pompiers se mirent immédiatement à l'œuvre pour circonscrire le sinistre. Le capitaine Paterson dirigeait les opérations.

John, le vieux Steeve, Eliane et Bob regardaient en se tenant assez loin des baraquements. Les deux bergers, voyant venir les pompiers, abandonnèrent leur action et vinrent vers le groupe.

— Monsieur Middleton, dit l'un d'eux, nous dormions presque, quand une odeur de fumée nous alerta.

— Ne vous inquiétez plus. Les pompiers sont là et vont faire le nécessaire pour arrêter l'incendie.

Les deux bergers, l'air affolé, contemplaient les flammes dardant vers le ciel. Les hommes du capitaine Paterson s'employaient de leur mieux, mais les bâtiments étaient sous l'emprise du feu.

— Mais où se trouve Rosa? demanda le vieux Steeve, on ne la voit pas!

— Elle a dû venir avec la jeep qui est près de la grange. Il faut la déplacer, sinon elle va devenir inutilisable.

— J'y vais, dit Bob.

Il s'élança vers la voiture. Le fourrage qui brûlait

irradiait une chaleur insupportable. Le jeune homme réussit à mettre la jeep en marche et la dégagea de la position dangereuse où elle était.

Soudain, de cet enfer de feu, une voix criarde, hystérique s'éleva :

— Vous avez été puni, Middleton. Tout brûlera!

— Vous avez entendu? c'est Rosa, fit Eliane.

— On ne la voit pas. Où peut-elle se trouver?

La voix de John était angoissée.

— Je crois qu'elle est derrière le hangar où l'on stocke la laine, dit le vieux Steeve.

— Allons-y! dit John.

Il se tourna vers Eliane.

— Surtout, ne bougez pas! Restez ici. Ne vous mettez surtout pas en danger.

— Je vous attends, dit-elle.

Le capitaine Paterson criait des ordres à ses hommes :

— Libérez les enclos! Laissez sortir les moutons!

Effrayés, les animaux poussaient des bêlements criards en s'agitant nerveusement. Les pompiers libérèrent les moutons et les vaches emprisonnés. Ce fut une pagaille monstre. Moutons et vaches s'enfuirent dans un désordre épouvantable. Pris de panique, ils foncèrent vers la savane. Rien ne pouvait les arrêter.

Quand John et le vieux Steeve arrivèrent devant les entrepôts où la laine était stockée, le feu, malgré l'intervention des pompiers, avait pris une ampleur considérable.

— Sortez, Rosa! cria John en s'époumonant. Je sais que vous êtes là!

Une voix sortant du brasier répondit farouchement :

— Vous ne m'attraperez pas. Je vais aller rejoindre Esther!

— Sortez de cette grange! intima-t-il.

Un rire sardonique lui répondit, suivi de ces mots :

— Tout brûlera! Vous n'aurez plus rien à vous! Esther reprend son bien.

Le capitaine Paterson vint en courant près de John et du vieux Steeve.

— Il n'y a plus rien à faire, monsieur Middleton. Nous n'avons plus rien pour combattre l'incendie, nos réservoirs sont vides!

— Mais Rosa est dans la grange! Elle va brûler vive!

— Personne ne peut plus entrer dans cette fournaise!

Rosa hurla à travers les flammes jaillissant vers le ciel :

— Vous êtes maudit, Middleton!

Puis ce fut le silence. Le brasier devint plus ardent. Le toit s'écroula. La chaleur fut si intense que le groupe dut reculer. Le ciel rougeoyant revêtait l'apparence d'un magnifique coucher de soleil. Le feu, ayant pris des proportions gigantesques, était maître des lieux.

Les pompiers rangeaient leur matériel. Toute action devenait inutile. Les moutons et les vaches avaient disparu dans le lointain.

— Comment ferons-nous pour les regrouper? demanda John au vieux berger.

— Nous y parviendrons, mais il nous faudra une énorme quantité d'hommes, répondit-il sans y croire vraiment.

Il voulait rassurer son patron.

Le feu avait dévoré l'ensemble des bergeries. C'était un désastre!

— Nous avons fait notre possible, monsieur Middleton, dit le capitaine des pompiers, d'un ton contrit.

— Merci, Capitaine. Je sais bien qu'à l'impossible, nul n'est tenu!

Eliane rejoignit John et les autres.

— John, dit-elle, avez-vous trouvé Rosa?

Il lui prit la main et en la regardant gravement il lui dit :

— Elle a péri dans les flammes!

La jeune fille eut un regard effrayé.

— Qui a semé le vent récoltera la tempête! clama le vieux Steeve.

Sous le choc de la nouvelle qu'elle venait d'apprendre, Eliane faillit s'évanouir. Elle s'accrocha à John en claquant des dents. Il la soutint fortement de son bras musclé.

— Reprenez-vous, Eliane, tout est fini maintenant. Cette série de catastrophes touche à son terme.

Les bergeries finissaient de brûler en dégageant une fumée irrespirable.

— Ne restons pas ici, dit le capitaine Paterson, retournons vers les véhicules.

Le groupe repartit vers le convoi qui s'était reformé.

— Vous avez retrouvé Rosa? demanda Bob, quand il les vit revenir.

— Non, elle est morte! Elle a préféré les flammes à la justice des hommes.

— C'est peut-être mieux pour elle, répondit le chauffeur, le visage grave.

— Cette fois, il ne nous reste plus qu'à rentrer à Hobart, conclut le capitaine Paterson.

Il regarda l'éleveur.

— Vous avez vu, monsieur Middleton, j'ai voulu vous aider, mais je n'y suis pas parvenu.

— Je vous remercie quand même pour la volonté que vous y avez mise.

Au fond de lui-même, John était catastrophé par tout ce qui lui était arrivé en une journée. Son cottage détruit, ses bergeries brûlées, il ne lui restait que son *Tander* et les terres, sur lesquelles son cheptel s'éparpillait dans tous les azimuts. Le désastre était total! Et pour compléter le tableau, Rosa avait voulu mourir brûlée vive!

— Si nous prenions la jeep pour rentrer? proposa Bob.

John eut un sursaut de recul.

— Il n'en est pas question! hurla-t-il. Avec la chance que j'ai en ce moment, nous allons certainement sauter avec!

Eliane le regarda avec compassion.

— Partons d'ici au plus vite, John. Je crois que c'est le mieux.

— Vous avez raison, Eliane. Je dois vous avouer que cette tragédie m'anéantit.

— On le serait à moins! ajouta le vieux Steeve.

Ils se dirigèrent vers la voiture du capitaine Paterson et reprirent place en silence. Le convoi prit le chemin du retour vers des lieux plus hospitaliers. Les bergeries n'étaient plus que cendres.

La pleine lune apparut derrière un nuage.

## CHAPITRE XIV

— ALLO, monsieur Middleton?

— Moi-même.

— Un inspecteur de police désire vous entendre au sujet de l'incendie de votre cottage et de vos bergeries. Il vous attend dans le salon de réception.

— Merci, je descends.

John mit sa veste en alpaga bleu et sortit de sa chambre. Il prit l'ascenseur. Quelques minutes plus tard, il se trouva dans le hall de l'hôtel Victoria. En entrant dans le salon, il regarda autour de lui et vit un homme en costume sombre qui se leva à son approche. « Ce doit être lui », pensa-t-il. Il alla vers celui-ci et demanda :

— C'est vous qui avez demandé à me voir?

— Vous êtes bien monsieur Middleton?

John fit un signe d'assentiment.

L'inspecteur lui proposa de s'asseoir. Il commença :

— Je m'excuse de venir vous importuner dans ces douloureuses circonstances, après les pénibles catastrophes qui vous sont arrivées hier, mais comme il y a eu mort de personne physique, mes fonctions m'obligent à prendre quelques renseignements. Simple routine policière.

— Je suis à votre disposition. Que voulez-vous savoir, inspecteur?

— J'ai appris que vous aviez congédié votre personnel, du moins en partie.

— C'est exact.

— Il paraît que c'est votre gouvernante, Rosa, qui a mis le feu à votre cottage et à vos bergeries?

— C'est une certitude, Inspecteur. Nous avons, d'autres personnes et moi-même, reconnu sa voix. Elle s'est mise à hurler après l'incendie du cottage, qu'elle allait également brûler les bergeries. Du reste, c'est ce qu'elle a fait! Avec le capitaine Paterson, nous sommes arrivés trop tard.

L'inspecteur scruta l'éleveur :

— Croyez-vous qu'elle avait des complices?

— Je ne pourrais l'affirmer. Nous n'avons entendu que sa voix et nous n'avons vu personne. Pas même, elle. Il y a quand même une constatation à faire, c'est que le personnel que j'ai congédié était de souche italienne, comme ma gouvernante.

— Je le sais déjà. Mais pour quelles raisons, si je ne suis pas indiscret, monsieur Middleton, avez-vous soudain pris la décision de licencier ce personnel?

— C'est facile à comprendre. Ces quatre employés formaient une espèce de clan. Ils étaient tous d'origine italienne et se soutenaient mutuellement. Ils vouaient un culte exagéré à Esther, ma défunte femme. Depuis que j'avais fait venir une jeune Française pour enseigner le français à mes filles, ils s'étaient tous ligués contre elle, à tel point qu'elle en est tombée malade. Le docteur Willy vous le confirmera.

— Je vois. Eh bien, monsieur Middleton, je n'abuserai pas davantage de votre temps et de votre amabilité.

Il se leva et prit congé. John le raccompagna jusqu'à la sortie. Ensuite, il remonta dans sa chambre, où il téléphona à maître Colby.

— Maître? Ici Middleton.

L'autre, au bout du fil, était consterné.

— J'ai appris par les journaux ce qui vous est arrivé.

J'allais justement vous appeler tantôt. Que puis-je pour vous?

— Je vends tout, Maître! Sauf quelques terrains et aussi quelques bêtes du cheptel que je donne au vieux Steeve et à ses deux bergers. Contactez Van Hutter et dites-lui que je lui cède mon domaine, s'il s'en porte acquéreur. Je vous laisse carte blanche pour tout régler à notre profit. N'oubliez pas que votre part est incluse dans la transaction.

— Je crois qu'il n'y aura pas de problème. Van Hutter, en homme d'affaires, bondira sur l'occasion. C'est entendu. Je m'occupe de tout.

John raccrocha. « Voilà une bonne chose de faite. » Il s'assit près de la table et commença à rédiger de nombreuses lettres et établit quelques chèques.

Une heure après, dans le salon de l'hôtel, John était assis à côté d'Eliane, de Judith et de Norma. Le vieux Steeve et Bob se trouvaient de l'autre côté de la table basse.

John prit la parole.

— Après les tragiques incidents d'hier, j'ai fait le point sur la situation.

Il s'adressa d'abord à Bob :

— Pour l'instant, je n'ai pas besoin de vos services. Mais comme vous n'êtes absolument pas responsable de ce qui vient de m'arriver, voici un chèque qui vous permettra d'attendre un nouvel emploi.

John tendit le chèque. Bob le prit.

— Je vous remercie, Monsieur, mais je regretterai toujours de vous quitter en cette pénible circonstance.

John reprit la parole :

— Vous êtes un brave garçon, Bob. Ce qui m'arrive est l'œuvre du destin, de la fatalité. Nous n'y pouvons rien.

Ensuite, il regarda le vieux Steeve.

— Mon vieux Steeve, les bergeries n'existent plus.

Mais quoi qu'il en soit, tu pourras encore circuler sur quelques lopins de terre que je vous donne à toi et aux bergers. Je vous cède également une centaine de moutons.

— Monsieur Middleton, Dieu vous récompensera, dit d'une voix émue le vieil homme, les yeux brillants de larmes.

— Quant à vous, Eliane, vous allez repartir en Europe rejoindre votre famille. Vos parents doivent souvent penser à vous et vous devez certainement leur manquer. Voici de quoi vous permettre de retourner dans votre pays et d'être tranquille sur le plan financier pendant quelque temps.

Il lui tendit une enveloppe.

— Mais papa, s'écria Norma, nous ne voulons pas qu'elle parte, nous voulons qu'elle reste avec nous!

La petite fille se mit à pleurer à chaudes larmes.

Eberlué, John regarda sa fille. Il n'osait plus rien dire.

Eliane sentit une émotion immense la traverser. Ce que venait de dire Norma la touchait en plein cœur. Elle détourna son visage. Ses yeux étaient embués de larmes.

— Nous la voulons comme nouvelle maman! hurla Judith. N'est-ce pas, Norma?

— Oui, nous voulons qu'elle reste toujours avec nous!

John regarda Eliane. Il vit qu'elle aussi pleurait. Il dit :

— Eliane, que dois-je faire?

Sa voix s'étrangla. Il ne put poursuivre.

La jeune fille restait muette. Elle aurait voulu expliquer à John que le désir des petites filles était aussi le sien, mais sa timidité l'empêchait de formuler les mots qu'elle voulait prononcer.

— N'est-ce pas que vous voulez rester avec nous,

Eliane? demanda, d'une voix à peine audible, Norma, tant elle était sensibilisée et triste.

— Oui, je voudrais bien, finit par dire la jeune fille.

John sonda les yeux d'Eliane et lui prit la main.

— C'est vrai? Vous voulez rester avec nous?

Elle noya son regard dans le sien.

— Oui John, si vous voulez de moi!

Il se sentit catapulté dans l'île d'Eros. Une joie extraordinaire l'envahit. Il n'y tint plus. Sans qu'elle pût éviter son geste, il la serra fortement dans ses bras. Elle ne se dégagea pas. Eliane pleurait sur son cœur. Troublée, elle se laissa bercer par les douces paroles qu'il lui disait dans le creux de l'oreille :

— Eliane, je vous aime. Je désire que vous deveniez ma femme. Maintenant, je suis libéré d'Esther. Il n'y a plus aucun problème. Nous partirons d'ici et nous irons vivre en Europe. C'est votre pays. Moi, je m'y adapterai puisque j'aurai à côté de moi un excellent professeur de français.

Elle s'ouvrit à son regard et sourit. Il sortit son mouchoir et sécha ses pleurs.

— Vous êtes jolie même quand vous pleurez. Souriez-moi. Une nouvelle vie commence.

Le doux ronronnement de sa voix la charma. Elle en oublia sa tristesse et son émotion de l'instant précédent. Apaisée, ayant retrouvé son état normal, elle lui sourit.

— Moi aussi, je vous aime, John. Depuis le premier jour où je vous ai aperçu à l'aéroport. Avant de vous connaître, j'avais toujours rêvé de rencontrer un être de votre qualité.

Il la serra davantage contre lui. Judith et Norma s'étaient arrêtées de pleurer. Ravies, elles regardaient leur père et Eliane enlacés. Bob et le vieux Steeve avaient l'air enthousiasmé de les voir aussi heureux.

— Foi de vieux renard! dit le vieux berger, j'ai toujours pensé que mademoiselle Eliane pourrait remplacer Esther! Je le lui avais d'ailleurs laissé entendre, mais elle n'avait pas bien compris le sens de ma pensée.

John, perplexe, le regarda en ouvrant de grands yeux.

— Mais qu'est-ce que tu veux dire exactement?

— Je lui avais fait remarqué que depuis qu'elle était au cottage, vous aviez recouvré le sourire.

Son étonnement allait grandissant.

— Ah! Je ne m'en étais pas du tout rendu compte.

— Si, c'est vrai, monsieur Middleton, ajouta Bob. Moi-même, je l'avais aussi remarqué. Comme les autres employés!

— Eh bien, vous m'en apprenez des choses aujourd'hui. Vous auriez dû m'en avertir! dit-il en leur souriant.

John était au comble de la joie. Maintenant qu'il y pensait, il reconnaissait que, depuis l'arrivée de la jeune fille au cottage, sa vie avait changé. C'était vrai, qu'il s'était senti plus serein, plus calme.

— Je suis contente que Rosa soit partie, dit Norma. Je ne l'aimais pas. Mais je ne veux pas qu'Eliane s'en aille!

John eut un moment de réflexion. Il aurait voulu parler de Rosa et dire à ses filles qu'elle avait péri dans les flammes, mais il se ravisa. « Elles sont jeunes et si émotives, et elles ne savent pas que leur gouvernante est morte dans un hangar de la bergerie. »

— Mes chéries, dit-il en s'adressant à ses filles, remontez dans votre chambre. Je viendrai vous chercher pour le dîner.

Il demanda à Bob :

— Voulez-vous les accompagner jusqu'à l'étage?

— Bien sûr, monsieur Middleton.

— Moi aussi je m'en vais, dit le vieux Steeve en se levant. Je vais repartir sur les terres et avec mes équipiers, dès demain, nous ferons notre possible pour rassembler les moutons et les vaches. En attendant mieux, nous coucherons sous la tente.

— Maître Colby s'occupe de la vente du domaine. N'oubliez pas de garder le contact avec lui. Il vous indiquera la partie qui vous est assignée.

— Je vous remercie encore, monsieur Middleton. Au revoir.

Il se leva en caressant sa vieille barbe broussailleuse et mit sa pipe à la bouche. Ensuite, en faisant un geste d'adieu de la main à Eliane, il s'en alla en direction de la sortie.

John regarda s'éloigner le vieil homme avec une certaine nostalgie.

— Il finira centenaire, ce vieil ours! dit-il. D'ailleurs il les a presque. Pour son âge, il est très allègre.

— Si nous pouvions arriver jusque-là, ce serait fantastique! Mon chéri, susurra-t-elle.

Il ressentit une profonde joie en écoutant les paroles d'Eliane.

— Etes-vous heureuse, ma chérie?

— Infiniment, John. Je vous aime plus que tout au monde.

— Vous voyez, malgré tous les désastres par lesquels nous sommes passés, nous en sortons indemnes, comme purifiés. Nous allons partir en Europe et commencer une vie nouvelle. Nous oublierons le drame que nous avons vécu.

Il la contempla avec sur les lèvres son sourire charmeur, inégalable.

— Au fond, le feu a été le bienvenu. Sans lui, je n'aurais jamais pu prendre cette décision. Rosa a péri par le mal qu'elle a engendré!

— Cette femme était malheureuse, John, c'est peut-être la raison de son acte désespéré?

Il parut contrarié par les dires de la jeune fille. Il comprenait son désir de vouloir pardonner. Il s'y refusait.

— Je vous aime, Eliane, cela seul compte pour moi, maintenant.

Il posa ses lèvres sur celles de la jeune fille. Pendant un instant qui lui parut éternel, Eliane frissonna de tout son être.

Le lendemain le Tander de John, dans lequel avaient pris place Eliane, Judith et Norma, quitta la piste et s'envola dans les airs.

— Cette fois, nous partons très loin! cria le pilote à Eliane, assise à ses côtés.

— N'allons-nous pas à Sydney?

— Bien sûr, ma chérie. Mais après, nous prendrons un Boeing qui nous transportera en Europe.

— Oh papa, dit Judith, irons-nous sur la Côte d'Azur?

— Oui, exactement.

— A Cannes? demanda Norma.

— Mais comment le sais-tu?

— Parce que c'est là où habitent les parents d'Eliane!

— Mais vous savez tout, ma parole!

Il regarda le visage de la jeune fille et lui sourit de toutes ses dents. Il semblait merveilleusement heureux.

Elle plongea son regard dans le sien. Leur tendresse infinie se refléta dans leurs yeux.

L'avion vira sur l'aile. Il fit un dernier passage à basse altitude et, à cause du soleil, dessina une ombre sur le sol.

Le *Tander* survola les débris calcinés du cottage sur lesquels planait encore l'ombre d'Esther.

*Achevé d'imprimer*
*le 13 octobre 1980*
*sur les presses de*
*Métropole Litho Inc.*
*Anjou, Québec - H1J 1N4*


Dépôt légal — 4e trimestre 1980
Bibliothèque Nationale du Québec